KU-037-382

Das Buch:

2006 erlebte Deutschland einen märchenhaften Sommer, als Hunderttausende auf den Straßen die Fußball-Weltmeisterschaft und die deutsche Nationalmannschaft feierten. Mit hinreißendem Fußball eroberte das junge Team von Jürgen Klinsmann die Herzen der Fans und ließ sie vom Gewinn des Titels träumen. Inmitten dieses Traums war der Filmregisseur Sönke Wortmann mit seiner Kamera ein Teil des Teams. Er lebte mit den deutschen Nationalspielern im Hotel und war bei allen ihren Besprechungen dabei, er fuhr mit ihnen zu den Spielen, kam mit in die Kabine und saß auf der Bank. So erlebte er ungefiltert die Anspannung und die Erlösung, den Jubel und die Tränen. Wortmann war bei der Geburt dieser Mannschaft dabei und sah sie im Turnier wachsen. Er lernte die Arbeit von Klinsmanns Trainerteam zu verstehen und entlockte Jens Lehmann die Geheimnisse des Elfmeterschießens gegen Argentinien. In seinem Tagebuch erzählt Sönke Wortmann das Märchen dieses Fußballsommers von innen.

Die Autoren:

Sönke Wortmann, geboren 1959, spielte im Mittelfeld der Spielvereinigung Erkenschwick und bei Westfalia Herne. Als Drehbuchautor, Regisseur und Produzent ist er u. a. mit seinen Filmen »Kleine Haie« und »Der bewegte Mann« bekannt geworden. Er wurde mit zahlreichen Preisen ausgezeichnet, darunter der Deutsche Filmpreis für den besten Film und die beste Regie. 2003 feierte er mit »Das Wunder von Bern« einen großen Kinoerfolg.

Christoph Biermann, geboren 1960, lebt in Köln und arbeitet seit vielen Jahren als Sportjournalist, u. a. für die Süddeutsche Zeitung, die taz und Die Zeit. Er hat mehrere Bücher über Fußball verfasst, u. a. »Wenn Du am Spieltag beerdigt wirst, kann ich leider nicht kommen«, »Der Ball ist rund, damit das Spiel die Richtung ändern kann« (mit Ulrich Fuchs), »Meine Tage als Spitzenreiter«. Zuletzt erschien von ihm »Fast alles über Fußball«.

GRA 6/12/06
CH
9-80

Sönke Wortmann
mit Christoph Biermann

Deutschland.
Ein Sommermärchen

Ein WM-Tagebuch

Kiepenheuer & Witsch

1. Auflage 2006

© 2006 by Verlag Kiepenheuer & Witsch, Köln
Alle Rechte vorbehalten. Kein Teil des Werkes darf
in irgendeiner Form (durch Fotografie, Mikrofilm
oder ein anderes Verfahren) ohne schriftliche
Genehmigung des Verlages reproduziert oder
unter Verwendung elektronischer Systeme
verarbeitet, vervielfältigt oder verbreitet werden.
Fotos im Innenteil: © GES/Augenklick
Umschlaggestaltung: Barbara Thoben, Köln
Schriftzug Deutschland. Ein Sommermärchen:
Jörg Lesewitz/Blg F GmbH Leipzig
Umschlagmotiv oben: © ullstein/Contrast-Streubel
Umschlagmotiv unten: © Getty Images/S. Behne
Gesetzt aus der Guardi
Satz: grafik & sound, Köln
Druck und Bindearbeiten: Clausen & Bosse, Leck
ISBN 10: 3-462-03759-5
ISBN 13: 978-3-462-03759-3

Für Elsa, Gretchen und Hugo.

Inhaltsverzeichnis

Vorspann
30. Juni 2006, Berlin, 19:42 h

Einen muss Jens Lehmann noch halten, dann ist Argentinien besiegt und
wir sind im Halbfinale. Arm in Arm
stehen die Spieler im Anstoßkreis,
die Zuschauer auf den Rängen und
wir am Seitenrand. Meine Arme liegen auf den Schultern von Harald
Stenger und Flavio Battisti, die Kamera liegt irgendwo herum. Ist sie
eigentlich noch auf der Ersatzbank?
Ist sie schon geklaut? Egal. Jetzt bin
ich nicht mehr Dokumentarfilmer. In
diesem Moment ist es wichtiger, dass
ich meine Energie darauf konzentrie-
re, dass die richtigen Elfmeter ins Tor
gehen und die anderen nicht. Die
Energie fließt, Tim Borowski verwandelt zum 5:3. Wenn Jens den nächsten Schuss abwehrt, sind wir durch.
Man sieht die Angst im Gesicht des
Argentiniers. Ahnt Cambiasso schon
etwas? Er läuft an und schießt mit
links. Der Ball fliegt halbhoch nach
rechts, und Jens springt.

Er hat ihn, wir reißen die Arme hoch und rennen los. Wir sind im Halbfinale. Und ich bin mitten in dem Traum, den gerade Millionen in Deutschland träumen, jubelnd auf den Straßen und Plätzen, in Kneipen oder daheim in ihren Wohnungen. Ich laufe auf die Traube von Spielern zu, mit denen ich unter einem Dach lebe, mit denen ich esse, ins Stadion fahre und in die Kabine gehe. Komisch, während ich renne, frage ich mich, was ich hier eigentlich mache. Beim Viertelfinale der Weltmeisterschaft, auf dem Rasen des Olympiastadions in Berlin, unterwegs zum Helden des Spiels. Jens Lehmann stiert apathisch auf den Rasen. Er jubelt und lacht nicht, er ist in einer anderen Welt. Er steht einfach nur da, und als ich ihn anschaue, fällt es mir wieder ein. Ich laufe zurück, um meine Kamera zu holen. Zum Glück ist sie noch da, und ich drehe so viel, wie es geht.

Auswahlspieler
7. Februar 2005, Düsseldorf

Eigentlich bin ich sonst eher nicht aus der Ruhe zu bringen, aber an diesem Abend war das anders. Ich saß in der Lobby des Mannschaftshotels in Düsseldorf, wartete auf Oliver Bierhoff und sah die Spieler zum Essen schlurfen. Ich war nervös, obwohl mich Stars sonst nicht aufgeregt machen. Es gehört zu meiner Arbeit als Filmregisseur, mit ihnen zu arbeiten. Ich hatte auch schon genug mit internationalen Stars zu tun, um zu wissen, wie man mit ihnen umgeht. Ich respektiere die Arbeit von Schauspielern, manche sind großartig, aber ich kann nicht sagen, dass ich sie bewundere.

Wenn ich hingegen Nationalspieler sehe, gehe ich merkwürdigerweise wie selbstverständlich davon aus, dass sie älter sein müssten als ich. Für mich sind es die Großen, die da Fußball spielen. So wie früher, als ich in der Jugend des TSV Marl-Hüls spielte und den deutschen Nationalspielern im Fernsehen zuschaute. Günter Netzer etwa, mit seinem wehenden Haar. Das ist lange her, aber das Gefühl ist geblieben, obwohl doch selbst Oliver Kahn zehn Jahre jünger ist als ich und Arne Friedrich 20 Jahre. Eigentlich bin ich sogar älter als Jürgen Klinsmann und Oliver Bierhoff, Joachim Löw und Andreas Köpke.

Doch bei ihnen und diesen Fußballspielern spüre ich einen ganz besonderen Respekt, denn sie tragen den Trainingsanzug des Deutschen Fußball-Bundes. Seit ich als Kind mit dem Fußballspielen begonnen habe, war es für mich immer etwas ganz Besonderes, in eine Auswahlmannschaft berufen zu werden. Als Jugendlicher schaffte ich es in die Kreisauswahl Reckling-hausen, worauf ich unglaublich stolz war. Später als Senior in der Westfalen-Auswahl hatten wir schöne Reisen unternommen, einmal sogar bis in die Vereinigten Arabischen Emirate. Aber an diesem Abend in Düsseldorf sollte ich vor die Auswahl der Auswahlen treten, vor die deutsche Fußballnationalmannschaft – und ihre Reaktion könnte das Ende aller Bemühungen der vorangegangenen drei Jahre bedeuten.

Begonnen hatten sie im Sommer 2002 während der Dreharbeiten zu »Das Wunder von Bern«. Der Schauspieler Simon Verhoeven, der Ottmar Walter spielte, machte mich damals auf den Film »Les Yeux dans les Bleus« aufmerksam. Dessen Regisseur Stéphane Meunier hatte die französische Mannschaft während der

Weltmeisterschaft 1998 begleitet und einen Film darüber gemacht, von dem ich vorher noch nicht gehört hatte. Weil es ihn nur in Frankreich gab, besorgte ich mir die DVD übers Internet, und als ich mir den Film anschaute, saß ich fassungslos vor dem Fernseher. Das gab's doch gar nicht: Meunier filmte tatsächlich direkt vor einem Spiel der Weltmeisterschaft in der Kabine. Er war bei den Mannschaftsbesprechungen dabei, und man hörte, wie Nationaltrainer Aimé Jacquet in der Halbzeitpause tobte oder wie Zinedine Zidane auf der Massagebank seine Späße machte. Beim Elfmeterschießen im Viertelfinale gegen Italien saß Meunier neben Robert Pires auf der Bank und filmte, wie der sich an den Fingernägeln kaute. Der Film war für mich ein unglaubliches Erlebnis, und ich wusste sofort: Das will ich auch!

Wie schwierig so etwas umzusetzen war, dafür war »Les Yeux dans les Bleus« jedoch auch eine Warnung. Frankreichs Nationaltrainer Jacquet hatte sich zu dem Projekt ein halbes Jahr vor Turnierbeginn durch den Besitzer des französischen Pay-TV-Senders Canal Plus überreden lassen. Es lief auch alles gut, bis Meunier kurz vor dem Finale Frankreich gegen Brasilien unvorsichtigerweise in einem Zeitungsinterview damit protzte, was für sensationelle Bilder er gemacht hatte. Das brachte den Boss von Canal Plus auf, weil er als Reaktion darauf ein Konkurrenzprogramm im französischen Staatsfernsehen befürchtete, und so hob er voreilig eine unautorisierte Rohfassung des Films ins Programm. Der französische Sieg im Finale beruhigte die Gemüter etwas, doch als bei der Europameisterschaft 2000 ein Nachfolgeprojekt gemacht werden sollte, wollte der neue Nationaltrainer Roger Lemerre zumindest keine Kameras mehr in der Kabine haben. So war der zweite Film nicht mehr so intim wie das Original, und der dritte Anlauf scheiterte auf der ganzen Linie. Bei der Weltmeisterschaft 2002 wurde aus dem gedrehten Material nicht einmal ein Film, weil die Franzosen schon in der Vorrunde ausgeschieden waren. Bei der WM 2006 in Deutschland hatte der französische Mittelfeldspieler Vikas Dhorasoo stets eine Kamera dabei und brachte seine Mannschaftskameraden mit dem Plan eines Fernsehfilms gegen sich auf, weil sie gedacht hatten, er würde nur privat drehen.

Nach dem Ende der Dreharbeiten von »Das Wunder von Bern« begann ich vorsichtig bei den Leuten im Fußball vorzufühlen, die ich kannte, um bei der Weltmeisterschaft 2006 etwas Ähnliches wie die Franzosen zu machen. Ich wollte die deutsche Mannschaft als Gastgeber mit der Kamera durch das Turnier begleiten. Also nahm ich Kontakt mit Wolfgang Niersbach auf, der Vizepräsident des Organisationskomitees der WM 2006 war. Niersbach hatte uns bereits beim »Wunder von Bern« sehr geholfen, weil ich den Film nicht ohne den Deutschen Fußball-Bund machen wollte. Dort waren sie erst sehr skeptisch gewesen, weil sie befürchteten, dass ich den Mythos der WM 1954 zerstören würde. Dabei war ich gerade der Meinung, dass man ihn durch einen Film am Leben erhalten und weitertragen muss, gerade für die jüngeren Zuschauer, die noch nie davon gehört hatten. Niersbach hatte das als Erster verstanden und war im Verband ein großer Unterstützer des Projekts gewesen. Deshalb habe ich ihn wieder angerufen, doch diesmal war seine Antwort alles andere als ermutigend. »Das mag in Frankreich gehen, aber in Deutschland? Nie im Leben, vergiss es!«

So schnell wollte ich aber nicht aufgeben, zumal ich im Herbst 2003 den damaligen Teamchef Rudi Völler kennenlernte. Also fragte ich ihn direkt, ob er sich einen solchen Film über die deutsche Nationalmannschaft bei der WM im eigenen Land vorstellen könne, und Völler sagte erst einmal jein. Als ich Anfang 2004 noch einmal fragte, sagte er wieder jein. Drei weitere Monate später hörte ich mein drittes Jein, und damit waren inzwischen schon gut zwei Jahre vergangen, seit ich auf den Film der Franzosen aufmerksam gemacht worden war.

Die Idee, den Frankreich-Film für die WM 2006 zu adaptieren, hatten nach mir noch andere Leute. Ich verlor ein bisschen die Lust daran und hatte innerlich fast schon aufgegeben, weil mein Eindruck war, dass Rudi Völler eigentlich nicht wollte.

Doch dann kam die Europameisterschaft 2004 und sein überraschender Rücktritt. Plötzlich gab es mit Jürgen Klinsmann einen neuen Trainer und mit Oliver Bierhoff erstmals einen Manager der Nationalmannschaft. Also fragte ich noch einmal, denn zumindest das wollte ich getan haben, um mich hinterher nicht ärgern zu müssen, dass ein anderer es machen durfte. Ich war erstaunt, dass weder Bierhoff noch Klinsmann den französischen Film kannten, also schickte ich beiden erst einmal die DVD. Es dauerte jedoch viele Wochen, bis sie sich den Film anguckten. Ich hatte erwartet, dass einen ehemaligen Profi nichts mehr als ein solcher Film interessieren würde. Zumal Klinsmann und Bierhoff mit oder gegen einige von den Franzosen selbst noch gespielt hatten und beim Turnier in Frankreich dabei gewesen waren. Aber das hatte ich völlig falsch eingeschätzt. Die WM aus Sicht des Weltmeisters zu sehen, fanden sie nicht sonderlich aufregend, wie Bierhoff mir später erklärte, weil ein ehemaliger Profi das Innenleben von Mannschaftskabinen zu oft selbst erlebt hat.

So vergingen erneut etliche Wochen, in denen immer mehr Regisseure mit der gleichen Filmidee an den DFB herantraten. Ich dachte, es wäre für den Verband bestimmt ein weiterer Grund, das Projekt von vornherein zu stoppen. Wenn zu mir zehn Leute kommen und ein Regiepraktikum machen wollen, wird mir das schon deshalb zu viel, weil ich nicht neun von ihnen absagen möchte. Die sieben oder acht anderen Anfragen beim DFB weckten aber meinen sportlichen Ehrgeiz. Wenn es einer machen dürfte, so nahm ich mir vor, wollte ich das sein.

Ich blieb also dran und das auch ziemlich verbissen. Für die Tage vor dem Freundschaftsspiel gegen Argentinien in Düsseldorf hatte ich mit Bierhoff halb ausgemacht, der Mannschaft die Idee vorzustellen. Aber Bierhoff rief nicht zurück, um einen genauen Termin zu verabreden, und ich hatte deshalb tagelang schlechte Laune. Ich war wegen der Warterei sogar für meine Familie unerträglich, wollte aber auch nicht mit Anrufen nerven und mir wie ein Bittsteller vorkommen. Als ich ihn dann endlich direkt am Telefon hatte, war alles ganz einfach. »Komm vorbei, wir zeigen den Film und gucken, wie die reagieren«, sagte er. Natürlich mussten letztlich die Trainer darüber entscheiden, aber wenn einer der Spieler sagen würde, dass er das nicht wollte, wäre das Projekt erledigt gewesen.

Also war ich unglaublich nervös, als zwei Tage vor dem Spiel die Vorführung anstand. Wie ich sie da zum Essen gehen sah, war mir klar, dass jeder von ihnen mit einer Bemerkung alle meine Hoffnungen beenden konnte. Abends um neun Uhr kamen sie, nach und nach schüttelten mir Oliver Kahn, Michael Ballack, Jens Lehmann und die anderen die Hand. »Das Wunder von Bern« hatten alle gesehen, und Bierhoff hatte mir bereits erklärt, dass die Spieler deshalb auch mich als einen Star in meinem Metier anerkennen würden. Daher hatte ich auch in etwa das Gefühl, mit ihnen auf Augenhöhe zu sein, und dachte nicht, dass hier der TSV Marl-Hüls auf Bayern München trifft. An meiner Nervosität änderte das aber nichts.

Zumal auf einmal der Beamer nicht funktionierte. Ich bekam einen Schweißausbruch nach dem anderen, denn statt der großen Vorführung auf einer Leinwand blieb mit Müh und Not eine improvisierte auf dem Fernsehbildschirm übrig. Die Spieler etwas weiter hinten dürften kaum etwas erkannt haben. Ich hatte einen Ausschnitt des Films von gut einer halben Stunde Länge vorbereitet, um das Prinzip klarzumachen. Dann ging das Licht wieder an, und keiner sagte was. Darauf verkündete Bierhoff, dass sie demnächst mal drüber quatschen sollten. Die Spieler nickten und gingen auf die Zimmer.

Am seidenen Faden
6. Juni 2005, Belfast

Aus Düsseldorf war ich einigermaßen ratlos weggefahren, und ein
paar Tage später erklärte mir Bierhoff am Telefon, dass es noch gewisse Zweifel gäbe. Bei den Spielern
wäre aber zumindest gut angekommen, dass ich nicht als Diva vom
Film eingeschwebt sei, und sie hatten auch den Eindruck, ich wäre
irgendwie einer von ihnen. Es vergingen anschließend jedoch wieder
etliche Wochen ohne eine Entscheidung, bis ich bei einem Abendessen
in München mit Bierhoff ausmach-
te, es beim Confederations Cup
2005 einfach mal zu probieren, wie
es läuft. Ich wollte auch für mich
selbst herausfinden, ob ich im Weg
bin oder mich selbst im Weg fühle.
Hätte ich den Eindruck, das Projekt
2006 zu gefährden, würde ich frei-
willig verzichten. Schließlich war die
Weltmeisterschaft wichtiger als ein
Film darüber.

Um das herauszufinden, war ich in München zur Mannschaft gestoßen, als sie sich zur Vorbereitung auf das Turnier traf. Elf Tage vor Beginn des Confederations Cups war ein Freundschaftsspiel in Nordirland angesetzt, zu dem ich ebenfalls mitfuhr. So stand ich am Tag vor der Partie in Belfast am Trainingsplatz, und es passierte, was mir immer passiert, wenn ein Ball herumliegt. Ich kann ihn nicht einfach liegen lassen, und deshalb war die Antwort klar, als mich Bierhoff fragte, ob wir in einer Ecke etwas kicken sollten.

Ich habe mein ganzes Leben über Fußball gespielt. Mit sechs Jahren hatte ich mich beim TSV Marl-Hüls angemeldet, obwohl es damals noch keine F-Jugend gab. Aber ich liebte Fußball, und bald stellte sich heraus, dass ich Talent hatte. Bis zur A-Jugend war ich stets der Beste in der Mannschaft und ihr Kapitän. Als Mittelfeldspieler habe ich die meisten Tore geschossen, und es dauerte einige Zeit, bis ich auf einen Spieler traf, der besser war als ich. Er spielte beim SC Recklinghausen, hieß Thomas Kruse, ging später zu Schalke und war dort zehn Jahre lang rechter Verteidiger.

Dass Talent allein nicht reicht, wurde ab der B-Jugend klar, als mein Vorsprung vor den anderen geringer wurde. Langsam kamen die Briegels, die körperlich robuster als ich waren, und irgendwann haben mich dann viele überholt. Noch in der A-Jugend bin ich zur Spielvereinigung Erkenschwick gewechselt, die damals sehr gute Nachwuchsmannschaften hatte, und wurde bereits als Jugendspieler in der ersten Mannschaft eingesetzt, die drittklassig spielte. In meiner zweiten Saison stiegen wir 1980 sogar in die 2. Bundesliga Nord auf. Dazu hatte ich mit meinem einzigen Saisontor beigetragen, dem 1:0-Siegtreffer im entscheidenden Spiel gegen den SV Bünde 08. Das ist der Stammverein von David Odonkor, und immer wenn er mich später während der WM sehen sollte, rief er: »Erkenschwick«. Und ich rief zurück: »Bünde«.

Hoffentlich werde ich nicht eingewechselt

Trotz des Aufstiegs glaubte ich, zum Profifußball nicht gut genug zu sein. Es fehlte mir auch die Einstellung, denn selbst bei einem Abstiegskandidaten in der 2. Bundesliga Nord musste man ein einigermaßen profihaftes Leben führen, was mit meinem Freiheitsdrang aber nicht vereinbar war. Ich hatte Fernweh, wollte die Welt sehen und das nicht auf drei Wochen Sommerpause beschränkt. Zunächst blieb ich in der dritten Liga und wechselte zu Westfalia Herne, die sich aus finanziellen Gründen gerade aus der zweiten Liga hatten abmelden müssen. Dort schoss ich in der ersten Saison immerhin sieben Tore, und wir wurden Neunter, was für unsere neu zusammengewürfelte Truppe ziemlich gut war. Es hatte auch einigermaßen Spaß gemacht, aber nach der Hälfte der folgenden Saison war jegliche Motivation weg, und als wir weder auf- noch absteigen konnten, habe ich dem Trainer meinen Ausstieg verkündet.

Ich war damals 21 Jahre alt und wollte weg, weil mir mein Leben zu vorgeplant erschien. Mit dem Fußballspielen hätte ich weiter ein bisschen Geld verdienen und über einen Vereinssponsor einen Job bekommen können. Vielleicht wäre ich zu einem Klub wie dem 1. FC Paderborn gewechselt, von dem es damals eine Anfrage gab, aber ich wollte mal ohne Absicherung woandershin. Also bin ich, weil alle anderen nach Berlin gingen, nach München und habe dort als Erstes einen Taxischein gemacht, was ich bis heute für die größte Leistung meines Lebens halte, denn ich habe die mir vollkommen fremde Stadt auf dem Plan auswendig gelernt. Während der Taxifahrten lernte ich einen Produktionsleiter beim Film kennen, der mir wenig später einen Job als Produktionsfahrer anbot. Ich war zwar nicht die Art von Filmfan, der schon im

Alter von elf Jahren seinen ersten Super-8-Film gedreht hat, aber ich ging häufig ins Kino und habe mir viele Filme angeguckt. Allein deshalb war der Job als Fahrer für mich attraktiv, und so war ich bei der Serie »Monaco Franze« von Helmut Dietl dabei, wo ich auch erfuhr, dass es in München eine Filmhochschule gibt. Das fand ich interessant.

Seit dem Abschied von Westfalia Herne hatte ich zwar nie mehr im Verein gespielt, habe mich aber weiterhin als Fußballer gesehen. Deshalb war es in Belfast natürlich so verführerisch, mir den Ball mit einem echten Europameister zuzuschießen. Bierhoff und ich sind zum entgegengelegenen Ende des Trainingsplatzes und haben ein wenig herumgekickt. Es war mir irgendwie wichtig, dass die Spieler sehen, dass ich einen Ball geradeaus schießen kann. Sie guckten auch ab und zu rüber, was ich da so mache, und registrierten das genau. Aber zugleich ahnte ich, dass es Jürgen Klinsmann zu viel war. Er sagte zwar nichts, aber schon nach dem Abendessen kam Bierhoff auf mich zu und meinte, dass wir solche Einlagen demnächst besser lassen sollten. Klinsmann wollte beim Training absolute Konzentration, und die hatten wir gestört. Die Betreuer verkneifen sich ihre Lust auf den Ball auch, obwohl sie alle gute Fußballer sind, wie ich später gemerkt habe. Erst während der Weltmeisterschaft erfuhr ich, dass wegen unserer Einlage auf dem Trainingsplatz das ganze Projekt am seidenen Faden gehangen hatte, denn Klinsmann wollte die Reißleine ziehen. Vielleicht hatte Bierhoff mich davor bewahrt, wahrscheinlich auch aus schlechtem Gewissen, denn schließlich hatte er mich verführt.

Obwohl ich dem Rauswurf nur knapp entgangen war, hatte sich die kleine Einlage doch gelohnt. Dadurch hatte ich mir bei den Spielern fußballerisch gesehen einen gewissen Respekt erarbeitet, oder zumindest konnte ich mir das einbilden. Der richtige Adelsschlag kam aber viel später, als ich mir während der WM vor einem Training mit Philipp Lahm ein paar Bälle zuspielte. Er servierte den zweiten, dritten und vierten jeweils etwas härter und ich spielte sie noch härter zurück. »Auch früher mal höher gespielt, oder?«, fragte er. Ich habe nur kurz genickt, so genau musste er es auch nicht wissen.

Mein Leben als Tierfilmer
13. Juni 2005, Frankfurt

Eines der beim Publikum beliebtesten Filmgenres ist der Tierfilm. Ich selbst liebe ihn auch, nur werde ich wahrscheinlich nie einen machen, weil mir dazu die Geduld fehlt. Besonders gelungen finde ich Tierfilme, wenn sie sich so ins Leben der zu beobachtenden Tiere einschleichen, dass sie die Anwesenheit einer Kamera für selbstverständlich halten. Dann sind Bilder aus Termitenhügeln, den Nestern der Schleiereule oder über den Staudammbau von Bibern zu bestaunen, bei denen man sich wundert, dass die Tiere wirklich zu sehen sind, wie sie leben.

Meist gehen Tierfilmer so vor, dass sie während einer Eingewöhnungszeit der zu beobachtenden Spezies die Gelegenheit geben, ihre Anwesenheit und die der Kamera für einen Teil ihres Lebens zu halten.

Dazu gehört auch eine gute Tarnung, und nicht immer reicht es, einen Blätterbüschel über die Kamera zu tun, sondern es muss die Mimikry der Tierwelt kopiert werden und der Filmer sich ganz an die ihn umgebende Umwelt anpassen.

Auch ohne Blätterbüschel fiel ich kaum auf

So wurde auch ich vor Beginn des Confederations Cups eingekleidet wie alle anderen, um nicht schon durch andere Kleidung aufzufallen. Also bekam ich den gleichen Trainingsanzug und den gleichen Ausgehanzug wie die Betreuer. Diese Mimikry führte jedoch zunächst einmal zu einem akuten Ausbruch meines Kreisauswahl-Syndroms. Schon damals fand ich es ganz toll, dass wir Auserwählten aus dem Kreis Recklinghausen den gleichen Trainingsanzug trugen. Ungefähr dreieinhalb Jahrzehnte später, im für einen Fußballer fortgeschrittenen Alter von 45 Jahren, hatte ich es nun sogar in den Dress der Nationalmannschaft geschafft. Die Frage während des Confederations Cups war nur, ob allein der richtige Trainingsanzug ausreichen würde, mich an meine Umgebung anzupassen. Während des Turniers sollte sich entscheiden, ob sich Trainer und Spieler wirklich damit anfreunden würden, wenn ich bei den Spielen auf der Bank sitze, in der Kabine auftauche und die Besprechungen filme.

Von den Spielern hatte ich auf die Düsseldorfer Vorführung noch immer keine richtige Resonanz bekommen. Als ich am Tag vor dem ersten Spiel gegen Australien zufällig mit einigen von ihnen im Aufzug des Hotels nach oben zu den Zimmern fuhr, sah Arne Friedrich als Erster, dass ich meine Kamera dabeihatte. Sie ist relativ klein, nicht größer als die von vielen Hobbyfilmern. Außerdem hat sie den Vorteil, dass man sie nicht auf dem Auge haben muss, um etwas zu sehen. Es gibt ein schwenkbares Display, weshalb man auch aus der Hüfte filmen kann, ohne dass es das Gegenüber unbedingt bemerkt. Friedrich schaute sich das Gerät an und fragte: »Sag mal, ist das die Kamera, mit der du drehst?« – »Ja, genau.« – »Das ist ja überhaupt kein Problem.« Dann sah ich, wie Bernd Schneider nickte, der im Spielerrat der Nationalmannschaft war, und die anderen im Aufzug ebenfalls langsam zustimmend grinsten. In dem Moment war ich mir zum ersten Mal ziemlich sicher, dass es mit dem Film etwas werden würde. Sie wussten jetzt, was auf sie zukommt: fast nichts, von mir abgesehen.

Mit dem Drehen fing ich während des Confederations Cups dennoch ganz langsam an. In Nordirland hatte ich noch nicht einmal die Kamera dabeigehabt, sondern war erst mal nur mitgefahren. Auch beim ersten Spiel gegen Australien ließ ich die Kamera im Hotel und saß während der 90 Minuten noch auf der Tribüne. Gegen Tunesien saß ich schon auf der Bank und hatte die Kamera auch erstmals mitgenommen, drehte aber nicht. Erst gegen Argentinien im dritten Spiel hatte ich sie dann zum ersten Mal wirklich an. Wie ein Tierfilmer, der das Leben einer besonders scheuen Spezies dokumentieren will, hatte ich mich ganz langsam angenähert. Bierhoff drängte mich zwar ab und zu, mehr zu machen, aber die Schleiereule sollte nicht aufgeregt aus dem Nest flattern. Ich wollte die richtige Mischung aus Nähe und Distanz finden; selbst später bei der Weltmeisterschaft habe ich die Kamera oft nicht dabeigehabt, um Spielern und Trainern das Gefühl zu geben, dass da nicht einer 24 Stunden am Tag hinter ihnen her ist.

Wenn man bedenkt, dass Fußballspieler bei uns ständig unter Beobachtung der Medien stehen, mag meine anfängliche Vorsicht vielleicht etwas überzogen wirken. Aber zugleich rührte genau aus dieser Erfahrung ihre Skepsis, über die wir auch während des Confederations Cups sprachen. Die Spieler wussten, was sonst passiert, wenn Beiträge fürs Fernsehen über sie gemacht werden. Dafür erwartet man von ihnen, dass sie aus einer Tür kommen, aus dem Auto steigen oder einen Ball an der Kamera vorbeischießen müssen, damit die Reporter Bildstrecken haben, die betextet werden können. Das dauert meistens Stunden und nervt die Spieler, weshalb Oliver Kahn noch einmal ausdrücklich danach fragte, denn er befürchtete, solche Dinge machen zu müssen. Ich konnte ihn genauso beruhigen wie jene, die gedacht hatten, dass mindestens noch ein Tonmann mitkommen und das Mikro halten würde. Es sollte weder inszenierte Gänge geben noch Scheinwerfer in der Kabine, weder Kameraleute noch Tonmänner.

Die Spieler zu überzeugen war für mich das Wichtigste, ich wollte nicht, dass sie den Eindruck hatten, bequatscht oder überredet worden zu sein. Während des Confederations Cups glaubte ich auch, dass mir das weitgehend gelungen war, nur Kahn konnte ich bis zum Schluss nicht richtig einschätzen. Also habe ich ihn nach dem Spiel um den dritten Platz gegen Mexiko gefragt: »Wie stehst denn du eigentlich dazu?« Ich dachte, dass er die Idee nicht mögen würde, aber genau das Gegenteil war richtig. Kahn sagte: »Das ist eine tolle Idee, wir müssen das bei der WM unbedingt machen.« Das fand ich auch.

Der beste Film aller Zeiten
11. Oktober 2005, Hamburg

Es war gar nicht so schlecht, dass ich am Tag vor dem Länderspiel gegen China mit diesem kleinen Film ankam, denn die Stimmung um die deutsche Mannschaft hing gerade etwas durch. Die Erinnerung an die tollen Spiele beim Confederations Cup war langsam verblasst, und im Herbst hatte es ein paar unerfreuliche Partien gegeben. In Bratislava hatte das deutsche Team mit 0:2 gegen die Slowakei verloren, und in Hamburg traf ich auf Spieler, die drei Tage zuvor in Istanbul mit 1:2 der Türkei unterlegen waren und ziemlich schwach gespielt hatten. Da konnte die Erinnerung an bessere Tage in Form des 20-Minuten-Films, den ich über den Confederations Cup zusammengeschnitten hatte, zumindest nicht schaden.

Die Reaktion auf die Vorführung war die gleiche wie in Düsseldorf:

keine Reaktion. Hintenrum hörte ich dann aber nach und nach, dass die Spieler den Film angeblich super fanden. Nur Bastian Schweinsteiger kam gleich zu mir und sagte: »Das ist der beste Film, den ich je gesehen habe.« Das fand ich zwar nicht, aber ich freute mich über seinen jugendlichen Überschwang. Oder hatte ich etwa seinen feinen Spott überhört?

Denn es war zumindest technisch einer der schlechtesten Filme, die ich je gemacht hatte. Ich hatte ihn mit einer kleinen Kamera gedreht, die eher für Amateure gemacht ist, deren Qualität jedoch zunächst ausreichte, weil das Material nirgendwo gesendet wurde. Während die Bilder in Ordnung waren, hatte die Kamera jedoch den großen Nachteil, dass dort ein kleines Mikrofon fest installiert war, mit dem man bestenfalls bei Aufnahmen in geschlossenen Räumen etwas verstehen konnte. Weil die Tonaufnahmen so schlecht gewesen waren, musste ich diesen Mangel mit viel Musik kaschieren. Der Film über den Confederations Cup wurde daher zu 80 Prozent ein Musikvideo.

Der Testfilm zeigte mir, dass ich bis zur WM vor allem das Tonproblem lösen musste. Ich konnte schließlich bei der Mannschaftsbesprechung nicht sagen: »Moment mal Jürgen, ich muss dir eben noch das Mikro anstecken.« Nachdem wir alle Kameras getestet hatten, die es auf dem Markt gab, entschieden wir uns für eine Panasonic AG-DVX100B. Sie war vielleicht nicht die Beste, aber für unseren Zweck am geeignetsten. Es gibt zwar inzwischen High-Definition-Kameras, die von der optischen Qualität besser sind, aber bei den schnellen Bewegungen im Fußball einen Wischer-Effekt produzieren. Die X100 hatte auch den Vorteil, sofort einsatzbereit zu sein. Wenn man die entsprechenden Vorprogrammierungen einmal gemacht hatte, konnte man einschalten und direkt losfilmen. Andere Kameras brauchen noch einen Weißabgleich oder müssen sonst wie vorbereitet werden. Außerdem hat die Kamera eine automatische Schärfeneinrichtung, so dass sie sich mithilfe eines kleinen Computers innerhalb von einer Sekunde auf das neue Bild einstellte. Man konnte also wirklich drehen, was das Zeug hält.

Für den Ton wurde die Kamera umgerüstet. Zum eingebauten Mikrofon kam noch ein Richtmikrofon hinzu, das den Ton zu dem Ausschnitt aufzeichnet, den die Kamera sieht, links und rechts davon aber nicht mehr so viel. Dieses Richtmikrofon hat dafür gesorgt, dass man die gut versteht, die man auch verstehen soll.

Außerdem war klar, dass es noch einen zweiten Kameramann geben musste, denn ich konnte die Einfahrt des Mannschaftsbusses ins Stadion nicht filmen, wenn ich selbst drinsaß. Nur ein anderer konnte das Warmmachen vor dem Spiel draußen auf dem Platz drehen, während ich noch in der Kabine war. Es gibt in Deutschland viele gute Kameramänner, und Frank Griebe gehört zu den Topleuten. Er hat zum Beispiel »Lola rennt« oder »Das Parfüm« gedreht. Zugleich qualifizierte er sich für den Job aber auch, weil er in seiner Jugend für Altona 93 gespielt hatte und ein riesengroßer Fußballfan mit einer Schwäche für den Hamburger SV ist.

Frank sollte gut ein Siebtel der Bilder beisteuern sowie die bestechende Idee, Interviews mit den Spielern im Bett zu machen. Sie entstand während der Vorbereitung auf die WM, als ich auf Sardinien ein Interview führte, bei dem ständig irgendwelche Caddys durchs Bild fuhren. Der Rest wurde vom Wind so heftig verweht, dass die Flucht ins Bett die Rettung war. Dort wehte weder Wind noch fuhr jemand durchs Bild.

Interviews mit den Spielern, Trainern und Betreuern waren von Beginn an Teil des Konzepts, ansonsten wusste ich nur, dass ich nicht uferlos drehen wollte, um ihnen einen gewissen Freiraum ohne Beobachtung durch die Kamera zu lassen. Ich wusste vom Confederations Cup, wie so ein Tag ungefähr verläuft und was wichtig ist. Aber nicht nur mich, sondern auch die Zuschauer interessierte am meisten ein Blick in die Bereiche, in denen sonst nicht gefilmt wird. Vor allem die Kabine ist das große Tabu. Man kann die Fahrt im Mannschaftsbus genauso dazuzählen wie die Besprechungen zum Spiel, aber die Kabine ist sicherlich das Symbol für den Intimbereich einer Mannschaft. Zumal der Zugang zur Kabine wie auch zum Mannschaftshotel unter Klinsmann strenger reguliert wurden als zuvor. Abgesehen von den DFB-Präsidenten Gerhard Mayer-Vorfelder und Theo Zwanziger waren keine Funktionäre bei der Mannschaft erwünscht.

Ansonsten habe ich keine Kollegen gefragt, die Dokumentarfilme machen, wie man das eigentlich anstellt. Ich habe mir zur Vorbereitung auch nur zwei Dokumentarfilme angeschaut, wovon ich den einen schon vergessen habe. Der zweite war von Oliver Stone über Fidel Castro, und der interessierte mich, weil Stone eigentlich auch Spielfilmregisseur ist. Aber der Film war nicht besonders inspirierend, und danach habe ich beschlossen, weitgehend jungfräulich an die Arbeit zu gehen.

Kein Schicksalsspiel
22. März 2006, Dortmund

Nach dem Confederations Cup filmte ich nicht mehr, war aber immer wieder bei den Spielen. Ich ging nach wie vor in die Kabine, um die Situation weiterzuführen, die wir beim Confederations Cup etabliert hatten. Zu filmen war unnötig, aber es sollte keine Entwöhnung zwischen den Spielern und mir stattfinden. Daher fuhr ich nach Rotterdam gegen Holland, dem ersten Spiel in der Saison vor der WM, nach Hamburg gegen China und zum letzten Spiel des Jahres 2005 gegen Frankreich in Paris.

Ich hatte dabei lange auf ein Zeichen gewartet, dass die Nationalmannschaft darüber abstimmt, ob der Film nun gemacht würde oder nicht. Dabei war nach dem Confederations Cup eigentlich allen klar, dass ich das machen würde – außer mir selbst. Also hatte ich Anfang

2006 nochmal angemerkt, dass ich eine gewisse Vorbereitung brauchen würde. Ich müsste ein paar Leute engagieren, Schneideräume mieten und was es sonst für eine Produktion braucht. Bierhoff sah das ein und sagte, wir sollten das Projekt am Tag vor dem Spiel gegen Italien in Florenz publik machen.

Also gaben wir dort auf einer Pressekonferenz die Zusammenarbeit für den Film bekannt. Die Einnahmen sollten der Aktion »6 Dörfer für 2006« zugute kommen, einer Kooperation zwischen den SOS-Kinderdörfern und dem Weltfußballverband Fifa. Es war ein glücklicher Zufall, dass die SOS-Kinderdörfer, die ich schon lange unterstütze und für die ich schon Werbespots gemacht hatte, auch offizielles Charity-Projekt der WM 2006 waren. Außerdem war es auf diese Weise einfacher, die Leute unter einen Hut zu kriegen, als wenn es ein kommerzielles Projekt gewesen wäre.

Danach hatte ich nicht mehr die Sorge, noch rausfliegen zu können – außer bei einem Trainerwechsel. Und der wurde nach dem 1:4 in Italien von einigen Zeitungen entschlossen herbeigeschrieben. Im Spiel hatte die deutsche Mannschaft nach sieben Minuten mit 0:2 zurückgelegen, nach knapp einer Stunde mit 0:4, und vor allem in der Defensive hatte bedenklich wenig funktioniert.

So kam in den folgenden drei Wochen bis zum Spiel gegen die USA noch einmal alles auf Vorlage, was die

Kritiker gegen Klinsmann einzuwenden hatten. Zumal seine Position geschwächt war, nachdem Franz Beckenbauer ihn eine Woche später öffentlich heftig kritisierte, weil er nicht zu einem WM-Workshop nach Düsseldorf gekommen war, zu dem die meisten Nationaltrainer der WM-Teilnehmer angereist waren. Munter wurde anschließend erneut diskutiert, ob man denn als deutscher Nationaltrainer überhaupt seinen Wohnsitz in Kalifornien haben könne. Erneut wurde der Kulturverfall beklagt, dass der Bundestrainer mit E-Mails, Videokonferenzen und anderem technologischen Teufelszeug arbeitete, so dass Sepp Herberger sich mit seinem berühmten Notizbuch im Grabe herumdrehte. Die deutsche Abwehr wurde als löchrig und windschief verspottet, und die Ambition, Weltmeister zu werden, als lachhaft. Und teilweise wurde sogar der Eindruck erweckt, dass es beim folgenden Länderspiel in Dortmund für Klinsmann um seine Zukunft als Nationaltrainer ginge. Die *Süddeutsche Zeitung* schrieb spöttisch über »das wichtigste Testspiel seit Erfindung der Nationalhymne«. Für die *Financial Times Deutschland* war die Partie das »unfreundschaftlichste Freundschaftsspiel der Welt«.

Damals merkte ich deutlich, dass der Blick von außen oft nicht den internen Verhältnissen entspricht. Ich war vor dem Spiel bei der Mannschaft im Hotel gewesen, und danach war es für mich völlig undenkbar, dass ein neuer Trainer kommen würde. Für die Spieler war das so abwegig wie barfuß zu spielen, und auch Klinsmann schloss einen Rücktritt im Fall der Niederlage aus. Nachdem die USA mit 4:1 besiegt worden waren, hatte sich das Thema sowieso erledigt und endlich kam die WM in Sicht.

Surprise
15. Mai 2006, Köln

Zu den Gemeinsamkeiten von Fußball und Film sowie von Fußballtrainer und Filmregisseur gehört die Zusammenstellung des Kaders. Für Dreharbeiten stelle ich ebenfalls jeweils ein Team zusammen und fand es deshalb besonders interessant, wen Klinsmann für die Weltmeisterschaft nominieren würde. Für mich sind vor allem psychologische Gesichtspunkte bei der Zusammenstellung sehr wichtig. Ich sehe mich fast vor jedem Film mit der Frage konfrontiert, ob ich einen Schauspieler nehmen soll, der vielleicht der Beste für eine Rolle ist, aber auch eine Zicke und allen anderen das Leben schwer macht. Lohnt sich das wirklich? Oder nehme ich doch lieber den Schauspieler, der nicht ganz so gut ist, aber ein Schatz und angenehme Dreharbeiten garantiert? Vielleicht ist dieser Zweitbeste, wenn er nur mal aufgetaut ist und sich wohl fühlt, sogar besser.

Bei Klinsmann schien der größte Teil des Kader gesetzt, und am Tag der Entscheidung wurde in den Zeitungen nur noch darüber gemutmaßt, ob er bei den Stürmern eher Oliver Neuville aus Mönchengladbach oder Mike Hanke vom VfL Wolfsburg berufen würde, während allgemein davon ausgegangen wurde, dass im Mittelfeld der Stuttgarter Thomas Hitzlsperger wohl nicht nominiert würde.

Ich war in unserem Büro in Köln, um noch die letzten Vorbereitungen für die Dreharbeiten mit der Nationalmannschaft zu machen, die am nächsten Tag beginnen würden. Mittags um eins stellte ich den Fernseher an, um mir die Pressekonferenz anzuschauen, auf der Klinsmann verkündete, wen er berufen hatte und wen nicht. Seine Wahl überraschte viele und mich auch. Die sensationellste Nominierung leuchtete mir jedoch sofort ein. Klinsmann hatte den Dortmunder David Odonkor berufen, der zuvor noch nie bei der Nationalmannschaft gewesen war. Er brachte jedoch eine außergewöhnliche Fähigkeit mit: seine sagenhafte Schnelligkeit. Da konnte ich mir durchaus vorstellen, dass man sie im Laufe des Turniers noch gebrauchen könnte.

Verblüfft war ich jedoch davon, dass der Schalker Kevin Kuranyi nicht dabei war, dafür aber Mike Hanke. Zwar hatten beide keine so gute Saison gespielt, aber ich dachte, dass Kuranyi bei einer etwaigen Einwechslung aufgrund seiner größeren Erfahrung eher mal ein Tor schießen würde. Außerdem war Hanke bekanntlich wegen seines Platzverweises im Spiel um Platz drei beim Confederations Cup für die ersten beiden Spiele der WM gesperrt. Aber Klinsmann setzte auf Hanke, weil er meinte, dass er als Ersatzspieler mit seinem Feuer die anderen mehr herausfordern würde. Mit Hanke im Nacken müsste etwa Podolski mehr tun, als wenn Kuranyi auf der Bank sitzen würde, der eher als lässig galt.

Eine weitere Überraschung war für mich, dass mit Fabian Ernst noch ein Spieler von Schalke 04 nicht dabei war, der vorher ebenfalls fast immer berufen worden war. Gab es bei ihm die Befürchtung, dass er im Laufe des Turniers die Lust verlieren würde, wenn er nicht spielt? Dass er vielleicht ein langes Gesicht machen und den Teamgeist dadurch ungewollt ein bisschen runterziehen würde? Thomas Hitzlsperger hingegen galt als äußerst pflegeleicht, was sich auch bestätigen sollte. Obwohl er bis auf elf Minuten im letzten Spiel nicht eingesetzt wurde, zog er durchgehend mit und verbreitete immer gute Laune.

Eins
16. Mai 2006, Frankfurt, Mannheim, Cagliari

Der Tag eins bei einem Spielfilm ist nicht der erste Drehtag, ein Film geht dann los, wenn die Hauptmitarbeiter anfangen: Kameramann, Kostümbildner, Ausstatter und die anderen, die auch im Vorspann stehen. In diesem Moment weiß man, dass eine lange Reise beginnt, und nach einem guten Dutzend Filme weiß ich, dass man nur ahnen kann, wie sie verlaufen wird. Vielleicht werden es gute Dreharbeiten, vielleicht haben wir aber auch Pech, ob mit dem Wetter oder der Technik, vielleicht gibt es Krisen unter den Mitarbeitern und Schauspielern. Die Reise kann ein Spaziergang werden oder eine Strapaze, die im Nichts endet.

Die Reise der Nationalmannschaft bei der Weltmeisterschaft begann in Frankfurt. Die ersten Bilder drehte ich im Hotel mit David Odonkor, als er vom Herrenschneider vermessen wurde. Am Vortag hatte ihn Dieter Eilts, der Trainer der U-21-Nationalmannschaft, angerufen und gesagt, dass er ihn nicht zur Junioren-Europameisterschaft nach Portugal mitnehmen würde. Als Odonkor entsetzt zurückfragte, warum er ausgeladen worden sei, eröffnete ihm Eilts, dass er für die Weltmeisterschaft nominiert sei. Den Schock über diese Beförderung hatte Odonkor noch nicht ganz überwunden, als er zum Treffen der Nationalspieler anreiste. Während er im Frankfurter Hotel die Anzüge, Hemden und Schuhe anprobierte, die jeder Nationalspieler für das Turnier gestellt bekam, wirkte er wie versehentlich auf einem fremden Planeten abgeworfen.

Gleich der erste Tag war ereignisreich genug, den Neuen direkt mit einer Reihe von Besonderheiten im Leben eines Nationalspielers vertraut zu machen. Zur Begrüßung bekam jeder Spieler einen Tagesplan, der diesmal besonders umfangreich war. Bei Odonkor stand neben einem Trainingsspiel in Mannheim und der Abreise nach Sardinien eben auch der Schneider auf dem Programm. Beim Film nennen wir das »Dispo«, ein Tagesplan, wo aufgelistet ist, wer zu welcher Zeit was zu tun hat. Den Zettel mit allen Angaben bekommen die Spieler sonst abends entweder unter der Tür durchgeschoben oder er liegt beim Abendessen auf ihrem Stuhl. Dort steht, wann gefrühstückt wird, wo Abfahrt zum Training ist und wer dabei zu welcher Gruppe gehört. Die Zeiten für Mit-

tagessen, Videositzung oder nachmittägliches Kaffee-
trinken stehen dort ebenfalls und für 24 Uhr fast
immer: »Lights off«.

Bis zum ausgeschalteten Licht sollte es an diesem Tag
aber noch dauern. Nach dem Mittagessen fuhren wir
weiter zum Carl-Benz-Stadion in Mannheim, wo noch
ein Spiel gegen den FSV 63 Luckenwalde angesetzt
war. Der Verbandsligist aus dem brandenburgischen
Breskov hatte die Partie beim Wettbewerb »Klub
2006« gewonnen, an dem insgesamt 4.200 Vereine
teilgenommen hatten. In der Halbzeit des Länderspiels
in Italien hatte Bierhoff den Fünftligisten aus dem
»Goldtopf« gezogen, wofür sich die Luckenwalder
durch engagierte Jugendarbeit und bemerkenswertes
ehrenamtliches Engagement qualifiziert hatten.

Auch beim 7:0-Sieg der deutschen Mannschaft waren
sie ein höflicher Gegner, aber Klinsmann, der vorher
schon seinen Unmut über die Ansetzung des Spiels
geäußert hatte, wurde nun darin bestätigt. Zwar war
vor der Partie eine lange Reihe von Schornsteinfegern
aufgelaufen, die der Mannschaft für die nächsten
Wochen viel Glück bringen sollten, aber das wirkte
schon mal überhaupt nicht. Philipp Lahm hätte zwar
auch im Training unglücklich stürzen können, aber es
war natürlich eine Katastrophe, dass sich kurz nach
der Halbzeitpause dieses absolut unwichtigen Kicks
gerade einer der Hoffnungsträger einen Teilabriss der
Sehne und des Seitenbandes im linken Ellbogen
zuzog. Anstatt mit nach Sardinien zu fliegen, wurde er

nach München gebracht, wo er am nächsten Tag anderthalb Stunden lang operiert werden sollte.

So fuhren wir von Mannheim ohne ihn zum Frankfurter Flughafen, und Klinsmann merkte man das Entsetzen darüber an. Er war die ganze Zeit über sehr in sich gekehrt, denn es war nicht einmal ausgeschlossen, dass Lahm die gesamte Weltmeisterschaft verpassen würde. Die Mannschaft reagierte in einer Mischung aus Bestürzung und Hoffnung, dass es vielleicht doch nicht so schlimm ist. Aber Fußballprofis lassen derlei instinktiv nicht richtig an sich herankommen, ihre Wahrnehmung wird gefiltert und die Situation innerlich schöngeredet. Dass sie also nicht groß über die Verletzung sprachen, war kein Ausdruck von Kaltherzigkeit oder Desinteresse, sondern eine Schutzhaltung. Jeder Spieler lebt mit der Gefahr, sich schon im nächsten Training oder in der nächsten Partie schwer zu verletzen, und verdrängt das am liebsten.

Am Frankfurter Flughafen ging alles sehr schnell, dank der ausgesprochen angenehmen Sonderbehandlung, die man auf Reisen mit der Nationalmannschaft erfährt. Unser Tross bestand mit allen Spielern, Trainern und Betreuern aus deutlich mehr als 60 Leuten (ich selbst hatte die Nummer 69 auf meinem Koffer). Über 90 Mitglieder umfasste die Delegation für die Weltmeisterschaft inklusive aller Funktionäre und Offiziellen, die jedoch nicht alle mit nach Sardinien kamen. Wir reisten vor Beginn und während des Turniers mit Charterflugzeugen der Lufthansa und mussten zum Einchecken an speziellen Gates nur kurz aus dem Bus, um das Handgepäck kontrollieren zu lassen und durch den Metalldetektor zu gehen. Dann ging es zurück in den Bus, der direkt zum Flugzeug fuhr.

Bei der Ankunft war es noch angenehmer, da schnappten wir nur unser Handgepäck, gingen zum Bus und fuhren sofort ins Hotel; ein zweiter Bus brachte uns das restliche Gepäck hinterher. So war es auch, als wir nachts auf Sardinien im Hotel ankamen. Wir haben uns schlafen gelegt und morgens stand der Koffer vor der Tür.

Etikettenschwindel

17. Mai 2006, Santa Margherita di
Pula (Sardinien)

In der Hotelanlage »Forte Village
Resort« würde ich nie Urlaub machen. Sie ist zwar sehr luxuriös, aber
auch groß. Wobei das hier nicht als
»ganz schön groß« zu verstehen ist,
sondern als »unglaublich groß«, um
nicht zu sagen als »viel zu groß«.
Auf insgesamt 55 Hektar, was ungefähr 80 Fußballplätzen entspricht,
waren an der Südküste Sardiniens
acht Hotelgebäude und 21 Restaurants untergebracht. Dort konnte
man zwischen italienischer, brasilia-
nischer, japanischer oder libanesi-
scher Küche wählen, wenn man
nicht lieber in die Kaviar- und
Tapas-Bar wollte. Auch das Sport-
angebot war üppig, um es vorsichtig
zu formulieren. Es gab eine Kart-
Bahn, eine Anlage für Beachvolley-
ball, eine Bowling- und sogar eine
Eisbahn. Am Strand konnte man
Segeln, Surfen, Wasserski fahren

und tauchen. Außerdem verfügte das Hotel über eine Reihe von Fußballplätzen in allen Größen.

Die Betreiber waren so stolz auf ihre Anlage, dass sie im Prospekt extra darauf hinwiesen, dass die Fotos nicht am Computer bearbeitet seien, sondern alles in Wirklichkeit so toll war. Offensichtlich trafen sie mit dieser unretuschierten Schönheit genau den Geschmack von Fußballprofis, denn die machen dort gerne Urlaub. Bernd Schneider war schon im Sommer zuvor dort gewesen und hatte auf einem Kleinfeldplatz englischen Touristen den Ball durch die Beine gespielt, die nicht ahnten, mit wem sie da auf dem Rasen standen. Spaniens Nationalstürmer Raúl war sogar zur gleichen Zeit da wie wir und Paul Ince, der früher für England gespielt hatte.

In den vier Tagen Erholungsurlaub in Wellness-Atmosphäre sollten die Spieler ihre Freundinnen, Frauen und Familien mitbringen, woran sich nur der Spätberufene Odonkor und Stuttgarts Keeper Timo Hildebrandt nicht hielten. Jens Nowotny, Bernd Schneider, Miroslav Klose und Torsten Frings hatten sogar ihre Kinder dabei, und durch die allgemeine Familienatmosphäre wurde etwas überdeckt, dass mehr trainiert wurde, als angekündigt worden war. Hinterher gab Klinsmann den Etikettenschwindel auch zu, dass es schon ein Trainingslager war. Es wurde zweimal täglich trainiert, aber die Arbeit fiel für die einzelnen Spieler dennoch unterschiedlich aus, je nach Belastung während der Saison. Robert Huth etwa wurde etwas strenger rangenommen, weil er beim FC Chelsea nur knapp 20 Einsätze hatte, während Tim Borowski, der bei Werder Bremen auf die doppelte Zahl gekommen war, nicht ganz so viel tun musste.

Oliver Bierhoff war vorher selbst nach Sardinien gereist, um das Resort daraufhin zu überprüfen, ob es wirklich sowohl zur Erholung als auch zum Training taugte. Für die sportliche Führung der Nationalmannschaft war die Reise eine erste Etappe auf einer langen Strecke, bei der man das Ende im Blick haben musste. Ihre Planung war von Beginn an auf das Erreichen des WM-Finales ausgerichtet, was bedeutete, dass sieben Wochen strukturiert sein wollten. Wenn man schon am Anfang zu viel machen würde, so erklärte Bierhoff, würde schnell die Gefahr von Lagerkoller bestehen.

Aus diesem Grund gehörte es zu den Überlegungen, dass wir viel in Bewegung und nie zu lange in der gleichen Umgebung bleiben sollten. Von der Regeneration auf Sardinien ging es nach fünf Übernachtungen weiter in die Schweiz, wo in Genf intensiv an der Fitness aber auch schon taktisch gearbeitet wurde. Dort waren wir acht Tage, in die ein Abstecher nach Freiburg zum Länderspiel gegen Luxemburg fiel. Bevor es in Genf langweilig werden konnte, zogen wir zur dritten Phase der Vorbereitung nach Düsseldorf um. Hier wurde vor allem am Mannschaftsspiel gearbeitet, was in Leverkusen und Mönchengladbach in den beiden Freundschaftsspielen gegen Japan und

Kolumbien überprüft wurde. Danach gab es noch zwei freie Tage, und als wir in Berlin ankamen, hatten wir null Lagerkoller. Das war eine gute Voraussetzung für die folgenden Wochen, in denen wir ebenfalls oft unterwegs waren, weil bei Weltmeisterschaften die Mannschaften inzwischen über das Land verteilt spielen und nicht an einem Ort wie früher. Außerdem ist es eine Auflage der FIFA, dass die Mannschaften am Vorabend am Spielort übernachten. Wir blieben also in Bewegung, und das war sicherlich im Sinne von Klinsmann und Bierhoff.

Früher waren die Nationalspieler wochenlang in irgendwelchen Sportschulen kaserniert gewesen, und es hatte zur Folklore gehört, dass einige von ihnen dort nachts verschwanden. Schon 1954 war Helmut Rahn aus dem Mannschaftshotel in Spiez ausgerückt, nachdem er beim 3:8 im ersten Spiel gegen Ungarn eingesetzt worden war. Den Frust, vermeintlich zum Kanonenfutter zu gehören, musste er mit ein paar Bier herunterspülen, was Herberger zwar mitbekommen hatte, aber großzügig übersah. 1974 hatten es Sepp Maier und ein paar seiner Kollegen vom schleswig-holsteinischen Malente bis nach Hamburg ins Nachtleben geschafft, und Toni Schumacher berichtet in seinem Buch »Anpfiff«, dass sich einige Spieler bei der WM 1986 heimlich in einem Bordell entspannten. Auch Jürgen Klinsmann selbst war schon einem WM-Trainingslager entflohen, wenn auch mit dem Segen des damaligen Teamchefs Franz Beckenbauer. Der hatte es Klinsmann, der damals in Mailand unter Vertrag stand, während der WM 1990 erlaubt, in seinem Haus am Comer See unweit der Unterkunft der Nationalmannschaft etwas Abstand zu gewinnen. Er war dorthin gefahren, wenn Freizeit war, hatte gelesen oder sich mit Freunden getroffen.

Die Mannschaft profitierte davon, dass Klinsmann als Spieler von Stumpfsinn, Öde und Langeweile der Trainingslager so frustriert worden war, dass er sich nun als Trainer alle Mühe bei der Vermeidung von Lagerkoller gab und für viel Abwechselung und Freiheit sorgte. Er forderte die Spieler zwar sehr, machte ihnen aber zugleich die Bedingungen so angenehm es ging. Klinsmann selbst hatte es gehasst, wenn Waldläufe schon morgens um halb acht Uhr angesagt waren. Sprach aus Gründen der Trainingslehre nichts dagegen, Läufe später zu absolvieren, wurde halt später gelaufen. So erlaubte er den Spielern beim Spinning auf dem Fahrrad auch, die Musik zu hören, die sie hören wollten.

Auf Sardinien merkte man Klinsmanns langjährige Spielerfahrung auch, als er die Mannschaft langsam auf das einstimmte, was sie bei der Weltmeisterschaft erwarten würde. Ich bin mir im Nachhinein nicht sicher, ob er sich zu diesem Zeitpunkt selbst vorstellen konnte, wie gigantisch die Begeisterung sein würde. Er hat die Spieler im Rahmen der mentalen Vorbereitung aber darauf hingewiesen, dass sie nicht das glauben sollten, was sie in der Zeitung über sich lasen. Es sei unwichtig, was über sie geschrieben oder gesagt würde, weil es für die Trainer keine Rolle spielen würde. Das wiederholte er in den kommenden Wochen, wenn der ein oder andere Spieler in der Kritik stand.

Auch jenen Spielern, die beim Confederations Cup nicht dabei gewesen waren, dürfte beim vermeintlichen Erholungsurlaub schnell klar geworden sein, wie unter Klinsmann gearbeitet wurde. Mich erinnerte es sehr an das Drehen von Filmen, das mit all seinen Spezialisten für Kamera, Ausstattung, Maske und mit den Schauspielern stark arbeitsteilig ist. Klinsmann war im Trainerteam und bei den Betreuern von einem großen Stab von Experten umgeben, denen er viel Raum gab. Dabei wurden die Hierarchien nicht so deutlich, und das versuche ich bei Dreharbeiten ähnlich zu machen. Dass ich als Regisseur in der Hierarchie oben stehe, muss ich am Set nicht ausleben. Ich freue mich auch, wenn mein Regieassistent eine gute Idee hat, schließlich kommt sie dem Film zugute. Abgesehen von solchen Fragen des Teamgeistes gibt es Regisseure, die sich vor allem als Steigbügelhalter der Schauspieler verstehen. Es sind oft sehr routinierte Kollegen, die als Dienstleister der Stars genau wissen, wie man sicher einen Film zusammen bekommt. Andere Regisseure hingegen gestalten ihren Film stärker, ob durch ein eigenes Drehbuch oder durch eine klar wiedererkennbare Bildsprache.

Ähnliche Unterschiede kann man auch bei Fußballtrainern beobachten. Erich Ribbeck war sicherlich ein Bundestrainer, der seinen Stars – und dort vorneweg

Lothar Matthäus – eine Bühne gebaut hat. Klinsmann verließ sich stärker als vorangegangene Trainergenerationen auf Spezialisten und wissenschaftliche Erkenntnisse, er tat auch alles für seine Spieler, war zugleich jedoch wie ein eigensinniger Regisseur dominant. Er brachte dazu die Aura großer Erfolge mit, weil er Welt- und Europameister war, Deutscher Meister und Uefa-Cup-Sieger. Er hatte in Italien, England und Frankreich gespielt, wo er sehr populär gewesen war. Das sorgte für eine natürliche Autorität, weshalb die Spieler auf ihn erst einmal sowieso hörten. Aber wirklich für sich gewonnen hat er sie durch seine Arbeit.

Wenn man noch eine weitere Analogie zur Filmwelt zieht, kann man sagen, dass die deutsche Mannschaft vor dem Turnier mit wenigen Kinostars besetzt war. Zunächst galten nur Michael Ballack, Oliver Kahn und Jens Lehmann als solche, während Miroslav Klose, Torsten Frings oder Philipp Lahm erst im Laufe des Turniers dazu wurden. Durch die übersichtliche Zahl von Stars rückte Klinsmann stärker in den Fokus des Interesses und konnte dem »Projekt Weltmeisterschaft« deutlich seine Persönlichkeit aufdrücken, wie wir in den kommenden Wochen merken sollten.

Unbekannte Muskeln
24. Mai 2006, Genf

Sonntags waren wir aus Sardinien in die Schweiz abgereist, und montags kam Michael Schumacher. Der siebenfache Weltmeister in der Formel 1 ist Fußballfan und spielt so passioniert, dass man sich manchmal fragt, ob er nicht viel lieber Fußballprofi als Autorennfahrer geworden wäre. Außerdem lebt er nicht weit entfernt von Genf, so dass er mittags mal kurz vorbeischauen konnte. Das war zwar schön, aber nicht als Signal misszuverstehen, dass es in Genf entspannend zugehen würde.

Um alle Zweifel zu zerstreuen, hatten die Fitnesstrainer in den VIP-Logen im Stadion von Servette Genf, direkt unterm Tribünendach, einen 1.000 Quadratmeter großen Raum mit allerlei Gerät voll gestellt. Dieses hatte vor allem Mark Verstegen ausgesucht und teilweise sogar aus den USA kommen lassen. Dort betreibt Verstegen, den man mit seinem kurzen Bürstenhaarschnitt für den Ausbilder einer Militärakademie halten könnte, ein Studio zur avancierten Fortbildung von Spitzensportlern. Nach Phoenix/Arizona kommen Leichtathleten, Baseballspieler, Basketballer oder Profis aus der National Football League in der Hoffnung, sich noch etwas zu verbessern, denn Verstegen entwirft seine Fitnessprogramme zugeschnitten auf die Bedürfnisse der unterschiedlichsten Sportarten.

Für ihn ist Fitness die »Voraussetzung für die Gelegenheit, Titel zu gewinnen«, wie er sagte, und deshalb arbeitete er in Genf an der Stabilität, Mobilität, Balance und Beschleunigung der Nationalspieler. Zur Ausrüstung gehörten harmlose Gummibälle, Matten oder rutschfeste Unterlagen genauso wie hochmoderne, elektrotechnische Apparaturen zur Muskelkräftigung und anatomischen Diagnostik. Beim Training trugen die Spieler teilweise sogar Sender, um ihre Herzfrequenzdaten direkt an einen Computer zu übertragen.

Berühmt geworden war Verstegen schon 2004, als er bei seinen ersten Trainingstagen mit der deutschen Nationalmannschaft die Spieler mit Gummibändern um den Beinen in einer Art Watschelgang über den Platz laufen ließ. Seither war es das Thema Fitness, über das in der Ära Klinsmann am heftigsten diskutiert wurde. Er war attackiert worden, weil er amerikanische Trainer beauftragt hatte, die doch wohl kaum was von Fußball verstehen würden. Viele Bundesliga-trainer fühlten sich zudem provoziert, weil der Bundestrainer seinen Nationalspielern Pläne mitgegeben hatte, nach denen sie in ihren Klubs zusätzliche Übungen machen sollten. Klinsmann war der festen Überzeugung, dass dem deutschen Fußball seine so oft beschworenen »deutschen Tugenden«, nach denen die Spieler länger laufen und ausdauernder kämpfen konnten, nicht nur abhanden gekommen waren, sondern dass er darin von anderen Nationen überholt worden war.

Ich selbst hatte als Spieler noch die Konditionsbolzerei erlebt, bei der wir endlos viele Waldläufe machten und im Wortsinne so lange rennen mussten, bis wir uns übergaben. Wir fühlten uns danach zwar einfach nur noch tot, dachten aber, das müsse so sein. Viel half eben viel. Außerdem war ich als junger Spieler so obrigkeitshörig, wie das im Fußball damals üblich war – und heute wohl auch nicht viel anders ist. Ich habe dem Trainer geglaubt, und er wusste es schließlich auch nicht besser. Unsere Trainingsarbeit war zu Beginn der achtziger Jahre in der dritten Liga noch so wenig ausdifferenziert, dass es nicht mal einen Co-Trainer gab. Nur bei Borussia Mönchengladbach gab es zu jener Zeit mit Karl-Heinz Drygalski einen sogenannten »Konditionstrainer«, was ziemlich exotisch klang.

Das alles war nur 25 Jahre her, kam mir aber im Vergleich zur amerikanischen Fitnesslandschaft in

Genf geradezu prähistorisch vor. Oliver Schmidtlein, der auch zum Team gehörte und sonst für den FC Bayern München arbeitet, erklärte mir, dass sich ihre Arbeit vor allem durch den Aufbau des Trainings auszeichnen würde. Beileibe nicht jede Übung wäre neu, aber teilweise würden sie in anderer Reihenfolge oder anderer Intensität gemacht und hätten dadurch auch andere Wirkungen. Trotz der vielen Gerätschaften würden sie wenig Maschinentraining und zudem fast keine Übungen im Sitzen machen. Schmidtlein war zwischen 1999 und 2001 in den USA gewesen, um dort amerikanische Eisläufer zu betreuen und sich fortzubilden. Inzwischen gäbe es, so meinte er, eine Globalisierung des Wissens über Fitness. So hatte er verblüfft festgestellt, dass die Fitnesstrainer der Nationalmannschaft von Paraguay ähnlich arbeiten würden wie Verstegen und er.

Bei ihrem Fitnesstraining gingen sie von der Grundannahme aus, dass Fußball ein komplexer Sport ist und überdies jeder Spieler nach seinen persönlichen Anfordernissen vorbereitet werden muss. Man weiß inzwischen viel genauer, wie der menschliche Körper funktioniert und was er braucht, weshalb auch immer wieder medizinische Werte erhoben wurden, um die Spieler nicht zu wenig zu belasten, aber auch nicht zu viel.

Schmidtlein war durchaus nicht der Meinung, dass Fitness alles sei, aber man dürfe die zehn oder 15 Prozent nicht verschenken, die man dort herausholen könne. »Nicht die fitteste Mannschaft wird Weltmeister, aber sie wird auch nicht als erste ausscheiden«, sagte er. Da hatten die Kollegen aus Paraguay dann wohl doch nicht so toll gearbeitet, denn ihre Mannschaft sollte bei der Weltmeisterschaft nur gegen Trinidad & Tobago punkten und musste schon nach der Vorrunde wieder nach Hause.

Der Sportpsychologe Hans-Dieter Hermann wies mich noch auf einen psychologischen Aspekt des Fitnesstrainings hin. Besonders Verstegen würde den Spielern durch sein sehr dominantes Auftreten vermitteln, dass sie durch die Arbeit mit ihm stark werden würden. Die Spieler empfanden das auch so, und Miroslav Klose formulierte es besonders anschaulich. »Ich habe jetzt ein paar Muskeln trainiert, von denen ich vorher gar nicht wusste, dass es die überhaupt gibt«, sagte er.

So wurden Dinge veranstaltet, wie sie die meisten Spieler in ihren Vereinen nicht machten – und mitunter sah es schon kurios aus, wenn sie Bewegungsabläufe übten, die man so noch nicht kannte. Sebastian Kehl sagte, dass sie ihm fremd gewesen wären, aber ihn explosiver gemacht hätten. In Gruppen absolvierten die Spieler eine Art Zirkeltraining, dann gab es Übungen, die auf jeden Einzelnen individuell zugeschnitten waren. Es ging vor allem um die Verbesserung von Schnellkraft und besagter Explosivität, denn genug Ausdauer brachten die meisten Spieler noch aus der Bundesliga mit. Im Laufe des Turniers meinte David

Odonkor fast verwundert, dass er sich während der Saison eigentlich nicht so fit gefühlt hatte, und der immerhin schon 32 Jahre alte Bernd Schneider glaubte sogar, dass er schneller geworden war.

Zur Verbesserung der Fitness gehörte auch die Regeneration, die direkt nach dem Spiel bzw. nach dem Training beginnt. Dazu hatten die Amerikaner große Mengen von Eis dabei. Es war für das Eiswürfelbad, das die Spieler in grünen Tonnen nahmen, die wie Abfalltonnen aussahen und voller Eiswasser waren. Sie stiegen mit ihren überhitzten Körpern direkt nach dem Spiel bzw. nach gewissen Trainingseinheiten dort hinein, um die Körpertemperatur sprunghaft wieder zu senken. Dadurch konnten sie schneller regenerieren, als wenn der Körper auch noch seine Kraft dazu aufwenden muss, den ganzen Organismus erst einmal herunterzukühlen.

Anti-Angsttraining
25. Mai 2006, Genf

Dass die Übung funktionierte, merkte ich schon beim Anlauf. Ich wollte diesen Elfmeter nicht nur verwandeln, weil ein Schütze das immer will. Ich wollte ihn unbedingt verwandeln, denn es stand etwas auf dem Spiel. Bevor sich Hans-Dieter Hermann ins Tor stellte, hatte ich mit ihm ausgemacht, dass mich der Fehlschuss 200 Euro kosten würde. Eine teure Sache, aber dieser Elfmeter war Teil eines Selbstversuchs, denn der Psychologe der Nationalmannschaft hatte mir erklärt, nach welchem Prinzip er die Spieler auf das Schießen von Elfmetern vorbereiten wollte.

Hermann ging davon aus, dass einen Strafstoß zu schießen eine ungeheure Stresssituation ist, die man üben muss. Im Training war dieser Stress selbstverständlich nicht annähernd so groß wie vor 80.000 Zuschauer im Stadion, wo ein vergebener Elfmeter den Titelgewinn kosten könnte. Um die Drucksituation zumindest einigermaßen zu simulieren, hatte er sich relativ hohe Strafen für den Fall eines Fehlschusses ausgedacht. Außerdem mussten die Elfmeter nicht nur verwandelt werden, sondern an einer Stelle ins Tor gehen, die der Spieler vorher angesagt hatte.

Bei meiner Versuchsanordnung war es ähnlich, also flüsterte ich Kameramann Frank Griebe zu: »Unten rechts.« Ich lief mit dem festen Willen an, wirklich unten rechts ins Tor zu treffen, denn ich wollte auf keinen Fall 200 Euro bezahlen müssen. Deshalb war ich ganz anders auf das Ziel fokussiert, als wenn ich nur einfach so aus Spaß geschossen hätte. Der Ball ging tatsächlich rein. Unten rechts.

Die Ausführung der Elfmeter wurde von Hermann im Training mit den Nationalspielern noch insofern verschärft, als einer der Keeper hinter dem Tor herumhopste. Hermann wollte simulieren, dass man bei der Ausführung normalerweise durch viele äußere Faktoren gestört wird. So musste Tim Borowski seinen Elfmeter schießen, obwohl einer der Mitspieler Hildebrand im Tor signalisiert hatte, welche Ecke er angesagt hatte. Also stand der Torhüter genau dort. Trotzdem haute Borowski den Ball rein.

Für einen gut verdienenden Nationalspieler war die Aussicht, 200 Euro bezahlen zu müssen, jedoch nicht unbedingt erschreckend. Deshalb hat sich Hermann, als er im Trainingslager in Genf das Elfmeterschießen mit ihnen geübt hat, andere Strafen ausgedacht. Entweder mussten sie pro Fehlschuss 50 Liegestützen machen oder noch schlimmer, die Kollegen beim Abendessen bedienen. In einer Welt voller männlicher Rituale ist es schon eine Drohung, abends bei Tisch mit einer Serviette über dem Unterarm den feixenden Kollegen das Essen zu bringen. Bastian Schweinsteiger hat sich dabei aber ganz gut gehalten.

Mit Hans-Dieter Hermann übte ich Elfmeter und Interviews

Hermann arbeitete sehr praktisch und überzeugte mich damit. Er ist ein kluger Mann, der verschiedentlich auf Dinge hingewiesen hat, die ich so nicht gesehen hätte. Beim Training auf Sardinien etwa hatte er schnell registriert, dass Odonkor in der Mannschaft noch nicht richtig akzeptiert war. Mir wäre das nicht aufgefallen, denn es gab keine offenen Aversionen oder Ähnliches. Aber an Odonkors eigener Körpersprache und auch an der seiner Mitspieler zeigte Hermann es mir so, dass ich es nachvollziehbar fand. Vielleicht haben die älteren Spieler gedacht, dass er für die Nationalmannschaft noch nicht reif sei. Auch Odonkor war sich seiner Sache noch nicht sicher und anfangs ausgesprochen scheu.

Es war mit den Trainern abgesprochen, dass Hermann sie auf solche Dinge aufmerksam machen sollte. Ansonsten war er schon seit Ende 2004 als Ansprechpartner für die Spieler da. Hermann hatte Erfahrung auf dem Gebiet der Sportpsychologie, als er die österreichischen Skirennläuferinnen betreute, vor den Olympischen Spielen 2004 in Athen hatte er sich um die deutschen Turner, Boxer und Trampolinspringer gekümmert.

Mit den deutschen Fußballnationalspielern hatte Hermann, als er zum Team stieß, zunächst gemeinsam an der Konzentration gearbeitet, um gar nicht erst den Irrtum aufkommen zu lassen, dass er ihnen als Sportpsychologe irgendwie therapeutisch beikommen wollte. Nachdem er mit der ganzen Mannschaft verschiedene Übungen gemacht hatte, unterbreitete er ihnen das Angebot, sie unter vier Augen weiter zu verfeinern. Anwenden konnten die Spieler sie auch in der Kabine, wo es vor dem Spiel genug Leerlauf gibt, den man zu mentalem Training nutzen kann. Dabei kann man im

Kopf bestimmte Spielsituationen durchgehen, um schon bei Spielbeginn die Aufgaben klarer vor sich zu haben.

Beim Confederations Cup hatten die Spieler Hermanns Angebot relativ oft genutzt. Dass er so schnell akzeptiert wurde, hatte neben seinem überzeugenden Auftreten auch damit zu tun, dass es wenige Machos in der Mannschaft gab und viele sehr offene Spieler. Noch vor einigen Jahren hätte die Reaktion auf einen Psychologen bei einem Fußballteam wahrscheinlich noch geheißen: »Wir sind doch nicht schwul!« Doch inzwischen hatten auch einige Spitzenklubs bereits mit Sportpsychologen gearbeitet, wie etwa Werder Bremen mit Uwe Harttgen, der selbst in der Bundesliga gespielt hatte. Die Spieler waren von Hermann sehr gut vorbereitet, weshalb sich nur wenige während der Weltmeisterschaft jenseits der Gruppenübungen noch mit ihm unter vier Augen trafen. Die meisten waren so weit, die Übungen auch ohne Anleitung durchzuführen. Die Spieler, die im Vorjahr nicht dabei gewesen waren, schienen nicht so sehr daran interessiert, aber es wurde auch kein Druck auf sie ausgeübt.

Ich mochte Hermann auch persönlich gerne. Wir hatten uns schon beim Confederations Cup kennengelernt, und mir gefiel seine warme Ausstrahlung. Außerdem muss ich ihm dafür dankbar sein, dass er sich mir als Testperson für Interviews zur Verfügung stellte. Ich bin es zwar gewohnt, Interviews zu geben, aber nicht, sie zu führen. Für den Film hatte ich mir jedoch vorgenommen, nach und nach die Trainer, Spieler und Betreuer zu befragen. Nur wusste ich halt nicht so recht, wie ich das anfangen sollte. Also war es ganz gut, an Hermann zu üben und nicht gleich mit Oliver Kahn anzufangen. Passenderweise ging mein erster Versuch voll in die Hose, es gab jene technischen Probleme, die zum Umzug mit den Interviews ins Bett führten. Wäre mir das mit Kahn passiert, hätte er mir zu Recht wahrscheinlich gesagt, dass ich mal nach Hause gehen und ein bisschen üben soll, bevor ich ihm seine Zeit stehle.

Achtung, Weltmeisterschaft!
27. Mai 2006, Freiburg

Als wir von Genf aus auf dem Black Forest Airport Lahr ankamen, haben uns dort gut 200 Leute zugewinkt. Als wir mit dem Bus vor das Tageshotel in Freiburg fuhren, warteten dort 500 Leute. Der Bus konnte nur ganz langsam vorfahren, und als wir ausstiegen, wurde die Mannschaft so euphorisch beklatscht, als wäre sie nach langen Monaten in der Fremde endlich wieder in die Heimat zurückgekehrt, um das deutsche Fußballvolk nun ins Glück zu führen.

Etwas gewöhnungsbedürftig war das nach den anderthalb Wochen im Ausland schon, denn auf Sardinien waren wir im Betrieb des Riesenhotels nicht weiter aufgefallen. Der Kontakt zu anderen Menschen hatte sich auf ein paar Touristen beschränkt, die sich Autogramme holten. In der Schweiz gab es selbst das nicht mehr, weil die Mannschaft völlig abgeschlossen lebte und meistens auch trainierte. Während man in Genf also noch denken konnte, es würde für ein Phantomereignis trainiert, das nicht so richtig fassbar war, nahm es in Freiburg erstmals Gestalt an.

Nicht mehr weit bis zu Lehmanns Vollbremsung

Die Trainer sprachen noch im Bus darüber, als wir im Schritttempo auf unser Hotel zurollten. Ich saß auf meinem Stammplatz neben Andreas Köpke in der zweiten Reihe, vor mir Jürgen Klinsmann und rechts neben ihm am Fenster Joachim Löw. Oliver Bierhoff saß hinter dem Busfahrer ebenfalls in der ersten Reihe, und die vier waren sich einig, dass es richtig gewesen war, relativ spät nach Deutschland zu kommen, um vorher in Ruhe trainieren zu können.

Später im Stadion haben wir noch deutlicher gespürt, dass eine gewisse Euphorie um sich zu greifen begann. Beim Spiel gegen Luxemburg ließ das Wohlwollen des Publikums auch in den Phasen nicht nach, in denen es nicht mehr so toll lief. Dass nach einer guten Stunde auf dem Rasen kaum noch etwas passierte, kümmerte im Stadion niemanden. Unaufhörlich beklatschten die Zuschauer alles und jeden, wofür sie von Oliver Neuville belohnt wurden, der in der letzten Minute noch zweimal traf, so dass es mit dem 7:0-Endstand auch optisch ein gutes Ereignis war. Dann ging es noch einmal nach Genf zurück.

Inmitten all dieser Gutwilligkeit erlebte ich den einzigen Konflikt während meiner Zeit mit dem Nationalteam. Robert Huth hatte sich so verletzt, dass er während der Halbzeitpause in der Kabine bleiben musste. Ich filmte, wie er von den Ärzten behandelt wurde, bis Jens Lehmann neben mir auftauchte und sagte: »Mach mal aus!« Ich stellte die Kamera sofort ab, wollte aber von ihm am nächsten Tag wissen, warum er eingegriffen hatte. Lehmann hatte den Eindruck gehabt, die Verletzung von Huth wäre so schwer gewesen, dass für ihn die Weltmeisterschaft gelaufen war. Und in diesem für einen Fußballspieler schrecklichen Moment wollte er ihn schützen. Letztlich erwies sich die Verletzung aber als nicht so schwer, Huth konnte weitermachen und es blieb die einzige Intervention bei meinen Dreharbeiten. Ich hatte die Spieler gebeten, mir ein Zeichen zu geben, wenn ich nicht filmen sollte. Ob dazu nun einer kurz abwinkt oder sagt, »Hau ab, du Penner«, ich hätte sofort verstanden, aber Lehmanns Vollbremsung blieb die einzige.

Full House
31. Mai 2006, Düsseldorf

Freiburg war eine erste Ahnung davon, dass sich die Leute amüsieren und uns die Daumen drücken wollten. Aber Freiburg ist eine relativ kleine Stadt, und in Düsseldorf fiel die Unterstützung eine Nummer größer aus. Am Nachmittag war in der LTU-Arena ein öffentliches Training angesetzt worden, für das die Organisatoren ordentlich getrommelt hatten. Einige Monate zuvor waren beim Training der Nationalmannschaft in Köln gut 20.000 Zuschauer gewesen, und diesen inoffiziellen Zuschauerrekord wollten die Düsseldorfer ihrem rheinischen Rivalen abnehmen.

Die Spieler waren also schon darauf vorbereitet, dass da richtig was los sein würde, aber als sie auf den Platz kamen, konnte man ihren Gesichtern ansehen, dass sie dachten: Oh mein Gott, was ist denn das hier? Es waren unglaubliche 42.200 Zuschauer gekommen, und die Spieler waren sprachlos. Spätestens da dämmerte eigentlich allen, dass Großes auf uns zukommen würde. Dieses Training in Düsseldorf war einschneidend, denn es war nicht nur von der Zuschauerzahl her ein Quantensprung, sondern auch von der Euphorie, die das Publikum mitbrachte. Obwohl niemand etwas in dieser Richtung sagte, war es für die Spieler zunächst ein Schock. Es war ein deutliches Zeichen, wie viel auf dem Spiel stand und dass man die Leute nicht enttäuschen durfte. Andererseits standen die Zuschauer auf ihrer Seite, und deshalb sind alle Spieler euphorisch aus dem Stadion gegangen.

Das war allein schon hilfreich, weil die Stimmung am Abend zuvor, beim 2:2-Unentschieden gegen Japan in Leverkusen, ziemlich kritisch gewesen war. Ich kann mich noch genau an einen Sprechchor erinnern, der von ein paar hundert Leuten in einer Ecke des Stadions angestimmt wurde. Sie riefen im Staccato immer wieder: »Wie – wollt – ihr – das – schaffen?« Nach dem Spiel war in der Presse auch wieder die Defensive an den Pranger gestellt worden. Das bezog sich vor allem auf die Viererkette hinten, und wie so oft wurde bei der Kritik übersehen, dass die Abwehr deshalb Probleme hatte, weil im modernen Fußball alle Angreifer auch Abwehrspieler sein müssen und eine Abwehr deshalb leicht überspielt werden kann, wenn man im Mittelfeld dem Gegner zu viel Raum lässt.

Genauso ist es in der anschließenden Besprechung den Spielern vermittelt worden. In bemerkenswert ruhigem und sachlichem Ton haben die Trainer die Probleme mit ihnen besprochen. Löw etwa sagte: »Japan, das ist ein Mittelfeldthema.« Und Klinsmann forderte von den Verteidigern den Mut ein, den Mittelfeldspielern zu sagen, was sie zu machen hatten. »Es kann nicht sein, dass die das Sieb aufmachen und ihr seid die Deppen.«

Zum Stopfen des Siebes entstand in diesen Tagen auch das System, das während der Weltmeisterschaft gespielt werden sollte. Michael Ballack hatte sich in Interviews auch öffentlich darüber beklagt, dass die Nationalmannschaft zu offensiv spielen würde und die Spielweise korrigiert werden müsste. Teilweise war das als eine Kritik an Klinsmann interpretiert worden, der bekanntlich eine agierende, offensive Spielweise bevorzugte. Erstaunlich war daher, wie geräuschlos das Problem in der Nationalmannschaft beigelegt wurde, so es denn überhaupt eines war. Ich war bei keiner Besprechung zwischen Ballack und Klinsmann dabei und weiß nicht einmal, ob es welche gegeben hat. Aber fortan spielte Ballack auf gleicher Höhe mit Torsten Frings, wenn der Gegner in Ballbesitz war. Er blieb zwar der Spielgestalter der Nationalmannschaft, agierte aber von einer etwas defensiveren Position aus.

Drei Tage nach dem Rekordtraining zeigte sich, dass diese Maßnahme, die Besprechungen und die Arbeit im Training sich gelohnt hatten. Beim Spiel gegen

Nach dem Staunen kam in Düsseldorf das Schreiben

Kolumbien wurde das richtig gut umgesetzt, sie ließen kaum eine Chance zu und schossen selbst drei Tore. In Mönchengladbach war auch die Stimmung der Zuschauer wieder auffallend gut. Ich hatte zuvor bei deutschen Länderspielen oft beobachtet, dass sich die Zuschauer hinsetzten und zu sagen schienen: »So, jetzt unterhaltet mich mal.« Wenn sie sich nicht genügend unterhalten fühlten, haben sie schnell gepfiffen. Dass sie selbst zu einem unterhaltsamen Abend beitragen könnten und wie man das macht, zeigten sie in Mönchengladbach noch deutlicher als beim lockeren Einspielen in Freiburg. Die Leute wollten der Mannschaft helfen, und das tat ihr sehr gut, weil sie noch in der Vorbereitungsphase und körperlich nicht ganz fit war. Mit diesen Erlebnissen im Gepäck konnte sie gut nach Berlin fahren.

Neue Heimat
5. Juni 2006, Berlin

Wenn mir der Beginn der Vorbereitung auf die Weltmeisterschaft wie der Beginn einer Filmproduktion vorgekommen war, war der eigentliche Drehbeginn, als wir nach zwei freien Tagen das Schlosshotel Grunewald bezogen. Jetzt galt es, denn bis zum Eröffnungsspiel blieben nur noch fünf Tage.

Beim ersten Training gab Klinsmann das Startsignal: »Männer, herzlich willkommen in Berlin. Die Kiste geht los.« Aber das hatten alle schon gemerkt. Nach Berlin zu kommen, hatte eine gewisse Setzungsmacht. Hier waren wir nicht nur in der Hauptstadt angekommen, hier würde am 9. Juli im Olympiastadion auch das Endspiel um die Weltmeisterschaft ausgetragen werden. Das war das Ziel, und deshalb gab der Ortswechsel nach Berlin psychologisch viel Kraft. Im Nachhinein erscheint es einem so naheliegend, dass man denkt, man hätte das gar nicht anders machen können. Dabei sollte man nicht vergessen, dass es vorher eigentlich anders entschieden worden war. Ursprünglich sollte die Nationalmannschaft in Bergisch Gladbach untergebracht werden und in der BayArena in Leverkusen trainieren. Das war eine fest versprochene Belohnung für den Bayer-Konzern, der den DFB dabei unterstützt hatte, die Weltmeisterschaft nach Deutschland zu holen. Klinsmann jedoch kämpfte entschlossen darum, mit seiner Mannschaft nach Berlin zu kommen, setzte sich durch und behielt recht.

Auch die Unterkunft selbst war gut ausgewählt. Das Schlosshotel Grunewald hatte den Vorteil, dass die nur 54 Zimmer gerade für uns reichten, weshalb keine anderen Gäste im Hotel lebten. Was für ein großer Vorteil das war, merkten wir, wenn wir während des Turniers anderswo übernachteten. In den Hotels waren dann zur gleichen Zeit auch andere Gäste untergebracht, und es störte auf Dauer die Konzentration, wenn doch wieder Leute kamen und Autogramme wollten, Fans in der Lobby waren oder sonstige Unruhe herrschte. Das kann man nicht verhindern, und deshalb war es für die Mannschaft gut, in Berlin das Hotel für sich zu haben. Zumal es während jener Tage ganz auf die Bedürfnisse der Spieler ausgerichtet war.

Das Bauwerk ist von 1914 und wurde zwischen 1991 und 1994 unter Anleitung von Karl Lagerfeld renoviert, die Zimmer und die übrigen Räume waren mit eher schwer wirkenden Möbeln und Bildern ausgestattet. Auf Initiative von Bierhoff und den Trainern hatte man die Einrichtung vorübergehend etwas aufgefrischt. Innen gab es nun einige Lounge-Möbel, wodurch sich eine gewisse Leichtigkeit einstellte. Draußen hatten sie weiße Zelte aufstellen lassen. Drei davon standen im Garten nebeneinander, ein viertes etwas entfernt davon. Die Zelte waren offene Überdachungen und keine abgeschlossenen Räume, weshalb sie gerade an den heißen Tagen während der WM besonders angenehme Aufenthaltsorte waren und entsprechend gut besucht wurden.

Schon vorher war es bei den Zusammenkünften der Nationalmannschaft unter Klinsmann so gewesen, dass in den Hotels eine sogenannte Players Lounge eingerichtet wurde, in die nur die Spieler durften. Meistens waren das Präsidentensuiten oder ähnlich große Räume; solche Suiten haben meist noch Nebenzimmer und diese Räume wurden zu einer Riesenlounge zusammengefasst. Dort standen Computer, mit denen man im Internet surfen konnte; man konnte X-Box oder Playstation spielen, Karten, Tipp-Kick oder an einem Flipper. Weil es eine solch große Lounge aus räumlichen Gründen im Schlosshotel nicht gab, wurde eines der Zelte zur Players Lounge erklärt, während der Computerraum mit den Internet-Anschlüssen im Haus war. Im Restaurant, wo wir alle zusammen gegessen haben, saßen die Spieler zusammen an Tischen, die Trainer hatten ihren Tisch und die Betreuer ebenfalls, dort saß ich. Ansonsten konnte man sich in einer Bar und in ein paar Salons treffen, von denen einer jedoch zum Massageraum umfunktioniert worden war.

Gut, dass Torsten Frings nicht auf dem Zimmer rumhängt

Weil Fußballspieler von Bällen nie genug kriegen können, konnten sie Tennis spielen oder Basketball, viel genutzt wurde auch der Billardraum und die Tischtennisplatte im Garten. Der Plan von Klinsmann und Bierhoff ging jedenfalls recht schnell auf: Statt den ganzen Tag auf den Zimmern herumzuhängen, nahm die Mannschaft das Hotel als ihres an und nutzte die gesamte Anlage. Zur guten Atmosphäre hat auch das Personal beigetragen. Wenn die Mannschaft zu einem der Spiele aufbrach, haben sie Spalier gestanden und die Spieler mit Applaus verabschiedet. Bei der Rückkehr, selbst mitten in der Nacht, standen sie wieder da und haben dem Team applaudiert. Es war dann wirklich, wie nach Hause zu kommen.

Am ersten Abend in Berlin wurde die Mannschaft noch einmal auf das Turnier eingeschworen. Dabei hielt Bierhoff eine Ansprache, die den Spielern deutlich machen sollte, worauf es nun ankommen würde. Er gab ihnen dabei drei zentrale Ideen mit auf den Weg. Sie sollten erstens nie den Glauben an sich verlieren. Sie sollten sich zweitens auf sich konzentrieren, denn man könne zwar alle anlügen, aber nicht sich selbst. Und drittens sollten sie sich von negativen Einflüssen fernhalten, womit vor allem die der Medien gemeint waren.

Anschließend veranstaltete der Trainerstab noch ein kleines Fackelritual. Die Spieler sollten jeweils zu zweit eine der elf Fackeln entzünden, die im Garten in der 4-4-2-Formation aufgestellt worden waren. 4-4-2 sollte die Mannschaft spielen, und die Fackeln sollten fortan brennen, wie ein olympisches Feuer. Dafür waren sie aber erstaunlich oft aus, was aber auf den Verlauf des Turniers keine nachhaltig negative Wirkung hatte.

Angela zu Besuch
6. Juni 2006, Berlin

Torsten Frings kam zu spät, Angela Merkel hatte ihre kleine Rede schon begonnen. Frings schüttelte der verdutzten Kanzlerin die Hand, entschuldigte sich beim Hinsetzen und alle lachten. Die Nationalspieler sind Prominenz jeglicher Art gewöhnt. Aus ihren Vereinen kennen sie es, dass sich die örtlichen Honoratioren und Berühmtheiten mit ihnen schmücken wollen. Wer etwas länger bei der Nationalmannschaft war, hatte schon den Auto- und Fußballkanzler Gerhard Schröder erlebt, deshalb brachte sie auch der Besuch der Bundeskanzlerin nicht aus der Fassung. Im Gegenteil: Die Spieler mochten zwar einerseits stolz darauf sein, dass die Regierungschefin gekommen war, hatten es aber wohl auch nicht anders erwartet. Angela Merkel hingegen wirkte nervös, was vermutlich daran lag, dass Fußball für ihren Vorgänger ein so wichtiges Thema gewesen war und sie selbst bis zur Weltmeisterschaft vergleichsweise wenig damit zu tun hatte.

Bevor Schröder 2005 die Neuwahlen vorgezogen hatte, war eine der großen Hoffnungen der rot-grünen Koalition für den Wahlkampf gewesen, dass die Weltmeisterschaft den Verlauf nehmen würde, den sie dann nahm. Von der positiven Stimmung im Land wollten SPD und Grüne bei der Bundestagswahl profitieren, während CDU/CSU und FDP befürchteten, dadurch ins Hintertreffen zu geraten. Wahrscheinlich wäre das auch wirklich so gekommen, aber nun verschaffte die Weltmeisterschaft der neuen rot-schwarzen Regierung etwas Luft.

Das konnte jedoch zu dem Zeitpunkt, als die Kanzlerin im Besprechungsraum des Mannschaftshotels vor den Spielern stand, noch niemand absehen. Dass ihr Auftritt für sie ein Auswärtsspiel war, ließ sie eher sympathisch wirken. Und als sie mit ihrer kurzen Ansprache fertig war, wurde Jens Lehmann noch gedrängt, Merkel danach zu fragen, ob sie den Spitzensteuersatz nicht senken könne. Er hatte vorher im Mannschaftskreis wohl so etwas angekündigt und wurde jetzt vorgeschickt, was ihm nun peinlich war. Lehmann fragte etwas umständlich, ob es für ihn als dreifachen Vater demnächst vielleicht einen finanziellen Anreiz gäbe, wieder aus England nach Deutschland zurückzukommen. Merkel wies ihn lächelnd darauf hin, dass für ihn das neue Elterngeld interessant sein könnte, dazu müsse er jedoch mindestens zwei Vätermonate zur Betreuung seiner Kinder freinehmen. Der Höchstbetrag würde bei 1.800 Euro liegen. Vor dieser Gruppe von Spitzenverdienern mit einem eher traditionellen Rollenverständnis war das eine ziemlich komische Replik.

Die Schätze von Costa Rica
7. Juni 2006, Berlin

Als Urs Siegenthaler den ersten Gegner bei der Weltmeisterschaft vorzustellen begann, redete er zunächst nicht über Fußball, sondern über die Geschichte Costa Ricas und dass dort die Kolonisierung durch die Spanier nicht so durchgreifend gewesen war, weil das Land kaum Bodenschätze hatte. Es hätte dort weder Gold noch Silber gegeben. Dafür würde das Land heute davon profitieren, dass inzwischen viele Touristen kämen, um Natururlaub zu machen. Über diesen Umweg der Historie erläuterte er die Mentalität in Costa Rica und dass es den Menschen dort vor allem darum ginge, in Frieden das Leben zu genießen.

Er beschrieb die gegnerische Mannschaft also, indem er erst einmal auf die Mentalität im Land einging. Ich fand das hochinteressant, und für mich steckte in dieser Vorgehensweise eine gewisse Weisheit. Wenn man den Gegner auf diesem Weg verstanden hat, gibt einem das einen gewissen psychologischen Vorteil. Wenn ich als Spieler erklärt bekomme, dass meine Gegner aus Costa Rica sofort Respekt zeigen, wenn ich ihnen ordentlich Feuer gebe, verschafft mir das anschließend mehr Freiheiten, um mein Spiel durchzusetzen. Bei den folgenden Partien stellte ich fest, dass Siegenthalers Analysen durchaus nicht austauschbar waren. Vor dem Spiel gegen Ecuador etwa erzählte er genau das Gegenteil wie über Costa Rica. Erneut begründete er es geschichtlich, denn Ecuador sei ein lange schon sehr armes Land, und die Leute dort müssten immer kämpfen. Entsprechend würden auch die Spieler wissen, sich mit den Ellbogen durchzusetzen, sich mit allen fairen und teilweise auch unfairen Mitteln nach oben zu kämpfen. Deshalb wäre ihre Spielweise auch ungleich ruppiger als die von Costa Rica. So konnten sich die Spieler drauf einstellen, was sie auf dem Platz erwarten würde.

Nach seinem Vortrag hätte man Siegenthaler für den Kulturanthropologen der deutschen Mannschaft halten können, aber er war im Frühjahr 2005 als Chefscout verpflichtet worden. Das ging vor allem auf die Initiative von Joachim Löw zurück, der Siegenthaler aus der Schweiz kannte, wo Löw bei ihm das Trainerdiplom gemacht hatte. Für die deutsche Nationalmannschaft beobachtete Siegenthaler die Gegner und sprach neben Kultur und Politik auch die streng sportlichen Themen an, in dem er etwa einzelne Spieler mit ihren Stärken und Schwächen vorstellte. Ich fand aber nicht nur seine Art und Weise erstaunlich, sich einem Gegner zu nähern. Ungewöhnlich war auch, dass zunächst der Chefscout seine Beobachtungen vortrug und nicht etwa der Cheftrainer. Hier zeigte sich wieder der Teamgedanke, und die Mannschaft verstand, dass sie es mit einer gut ausgebildeten Gruppe von Spezialisten zu tun hatte.

Weil kaum etwas zufällig passierte, konnte man im Ablauf der Besprechungen eine Dramaturgie erkennen, bei der es auch darum ging, dass Klinsmann nicht zu früh sein Pulver verschoss und man ihm nicht mehr richtig zuhörte, wenn es zählte. Klinsmann war zwar bei den Besprechungen präsent, wenn Siegenthaler den Gegner erklärte oder Löw taktisches Verhalten erläuterte. Gelegentlich schaltete er sich auch ein, aber er passte sehr sorgfältig auf, sich nicht zu inflationieren. Sein wichtigster Moment kam an Spieltagen oder direkt vor den Spielen in der Kabine, wo er die Mannschaft vor allem emotional auf die Partie einstimmte.

Auch das kenne ich aus meinem Beruf, wo ich am Drehort zunächst möglichst wenig mache. Ich will mich nicht in Fragen verzetteln, wo etwa die Komparsen stehen werden, das macht mein Regieassistent. Er bereitet alles so vor, dass ich nur noch die entscheidenden Änderungen machen muss. Wenn ich vorher schon die ganze Zeit herumwusele, würde ich an Präsenz verlieren. Klinsmann schien ähnlich zu denken, und seine Präsenz wuchs.

Im Bett mit Ballack
8. Juni 2006, Berlin

Im Laufe der Weltmeisterschaft habe ich im Schlosshotel Grunewald viele Zimmer kennengelernt, als ich meine Interviews mit den Spielern gemacht habe, während sie auf ihren Betten saßen. Dabei wurde mir klar, dass die Vergabe der Zimmer der Hierarchie im Team entsprach, die älteren und etablierten Spieler hatten die größten Räume. Die der sportlichen Leitung waren noch größer. Das Zimmer von Bierhoff war riesig, und vielleicht war das von Klinsmann noch größer, ich habe es aber nicht gesehen. Vielleicht hatte der Bundestrainer es jedoch auch wieder zu tauschen versucht. Auf früheren Länderspielreisen hatte ich mitbekommen, dass es ihm peinlich war, die größte Suite des Hotels zu bekommen, und sie gegen ein kleineres Zimmer tauschen wollte.

Eines der ersten Zimmer, das ich zu sehen bekam, hatte einen Wohn- und einen Schlafraum. Mannschaftskapitän Michael Ballack lebte dort, und mit ihm wollte ich darüber sprechen, dass Klinsmann ihn wegen Muskelproblemen in der Wade im Eröffnungsspiel gegen Costa Rica auf die Bank setzen wollte. Dass Ballack seine Mannschaft gerade beim Eröffnungsspiel der Weltmeisterschaft auf den Platz führen wollte, wenn 1,5 Milliarden Zuschauer vor dem Fernseher sitzen, konnte ich gut verstehen. Da ist man eher bereit, ein gesundheitliches Risiko einzugehen. So war es weder zu übersehen noch zu überhören, dass Ballack die Anordnung zum Pausieren überhaupt nicht gefiel. Er saß auf dem Bett, rollte mit den Augen und war nicht damit einverstanden, dass jemand anders für ihn die Verantwortung übernahm. Er meinte, dass er unter seinem ehemaligen Vereinstrainer Ottmar Hitzfeld und Teamchef Rudi Völler mit der gleichen Verletzung schon gespielt hätte.

Ich konnte jedoch auch die andere Seite verstehen. Vielleicht hätte er wirklich spielen können, aber es bestand die Gefahr, dass sich die Verletzung verschlimmern und Ballack möglicherweise länger ausfallen würde. Das musste von Klinsmann zusammen mit dem Mannschaftsarzt Hans-Wilhelm Müller-Wohlfahrt abgewogen werden, und mir war sonnenklar, wie das ausgehen würde.

Erstaunlich war für mich jedoch, wie weit die äußere Wahrnehmung dieser Diskussion und deren Auswirkungen innerhalb der Mannschaft auseinander gingen. Draußen mussten die Fans den Eindruck haben, als ob es einen heftigen Streit zwischen dem Trainer und seinem Mannschaftskapitän gäbe, zumal Ballack seinen Unwillen öffentlich gemacht und Journalisten mitgeteilt hatte, dass er gegen Costa Rica spielen könnte. Er hatte auf Nachfrage gesagt, dass er sich für fit halten und gerne spielen würde, die anderen aber anderer Meinung seien und er das wohl schlucken müsste. Außerdem war die Situation noch dadurch zugespitzt, dass Klinsmann zuvor Ballack indirekt kritisiert hatte, dass dieser sich angeblich nicht früh genug hatte behandeln lassen, sondern die freien Tage nach dem Spiel gegen Kolumbien ungenutzt verstreichen ließ. Auch das hatte zum Unmut des Kapitäns beigetragen, der die Probleme erst am Tag vor der Anreise in Berlin verspürt hatte. Wenn man diese Zutaten anschaute, war es nicht verwunderlich, dass der Fall in den Medien dramatisch dargestellt wurde. Intern war die Verletzung von Ballack jedoch kein Thema, weil alle fest davon überzeugt waren, dass es im ersten Spiel auch ohne ihn gehen würde und Borowski ein guter Ersatz sei.

Obwohl es zwischen Trainer und Kapitän ein wenig knisterte, wurde das von Klinsmann hinterher nur einmal kurz am Rande thematisiert. Einen Fall machte er daraus nicht, es gab auch keinen öffentlichen Anpfiff für Ballack vor den anderen. Die Geschichte wurde bei einer Mannschaftsbesprechung kurz angedeutet. Klinsmann erinnerte daran, dass keine Diskussionen in die Öffentlichkeit getragen werden sollten. Das war's auch schon.

Ich wusste bereits in dem Moment, als ich meine Kamera einpackte und Ballacks Zimmer verließ, dass sich die Gemüter schon bald beruhigt haben würden. So kehrte ich in mein Zimmer zurück, es war übrigens so ziemlich das kleinste im Hotel.

Ich bin im Team
9. Juni 2006, München

Vor dem Eröffnungsspiel bat mich Jürgen Klinsmann darum, die Tore aus den Vorbereitungsspielen gegen Luxemburg, Japan und Kolumbien zu einem kleinen Video zusammenzuschneiden. Er hatte sogar eine Musik dazu ausgesucht, die unter die Bilder gelegt werden sollte: »Loose Yourself« von Eminem. Wahrscheinlich gefiel ihm an diesem Song vor allem die Textpassage, in der es darum geht, dass man die eine große Chance in seinem Leben nicht vergeben soll. »Wenn der Augenblick dir gehört, wäre es besser, du würdest ihn nicht vorüberziehen lassen. So eine Chance bekommst du nur einmal, vermassle sie nicht«, hieß es da.

Ich habe das Video in meinem Schneideraum in München geschnitten und es der Mannschaft am Tag des Eröffnungsspiels gezeigt. Es kam so gut an, dass ich anschließend vor allen entscheidenden Spielen gemeinsam mit meinen Cuttern Melania Singer und Hans Funck solche »Motivationsvideos«, wie sie von Klinsmann genannt wurden, hergestellt habe. Polen wurde noch nicht als entscheidend eingestuft, Ecuador war es dann nicht mehr, aber vor dem Achtelfinale gegen Schweden und den Spielen gegen Argentinien und Italien gab es jeweils Videos. Beim zweiten Mal habe ich ein Stück der Black Eyed Peas unterlegt, danach den Soundtrack von »Pirates Of The Caribbean« von Klaus Badelt, und vor dem Halbfinale war die Musik von Xavier Naidoo. Diese Videos wurden auch deshalb zum festen Bestandteil der Vorbereitung auf die Spiele, weil Fußballspieler abergläubisch sind. So wurde viel Aufwand getrieben, um vor den Spielen möglichst das Gleiche zu machen wie beim letzten Sieg. Dazu gehörte es auch, die Spieler direkt vor der Abfahrt ins Stadion noch einmal in den Videoraum zu bestellen. Klinsmann sagte: »So, jetzt hau mal rein da!« Ich habe die DVD reingehauen, die Spieler haben mein Video angeschaut und dann ging es in den Bus. Rituale müssen halt sein.

Vor dem Eröffnungsspiel entstand noch ein anderes Ritual, das es anschließend vor jeder Partie in der Kabine geben sollte. Es wurde von Klinsmann jeweils einer der Ersatzspieler aufgefordert, eine knappe Ansprache an die Mannschaft zu halten, kurz bevor es auf den Platz ging. Oliver Kahn war der Erste. Er gab seinen Kollegen in einfachen aber schönen Worten mit auf den Weg, dass sie bitte schön Costa Rica schlagen sollten. Bei späteren Spielen waren Jens Nowotny, Mike Hanke, Tim Borowski, Thomas Hitzlsperger an der Reihe, vor dem Halbfinale Torsten Frings und vor dem Spiel um Platz drei Per Mertesacker.

Spieler, Betreuer und Trainer bildeten um den Redner einen großen Kreis, indem sie sich die Arme um die Schultern legten. Vor dem Eröffnungsspiel bestanden sie darauf, dass auch ich dazukommen sollte. Weil ich mit dem kleinen Video einen konkreten Beitrag geleistet hatte, war das mein symbolischer Schritt in den Kreis der Mannschaft. Seit diesem Moment habe ich nicht nur »wir« gesagt, sondern auch »wir« gemeint.

Ich musste mich danach emotional erst einmal runterbringen, um meine Arbeit machen zu können. Beim ersten Tor gelang mir das noch nicht. Ich fand es einfach grandios, dass gerade Philipp Lahm schon nach sechs Minuten traf, bei dem es wegen seiner Verletzung aus dem Spiel gegen Luckenwalde lange so ausgesehen hatte, als ob er gar nicht spielen könnte. Ich fand es sogar so grandios, dass ich vor lauter Jubel zu filmen vergaß. Es war für mich ein generelles Problem, dass ich als Mitglied des Teams auch jubeln wollte, es gleichzeitig aber gerade meine Aufgabe war, die anderen beim Jubeln zu zeigen. Ich bekam das Problem schon während des ersten Spiels langsam in den Griff, doch auch später gab es gelegentliche Rückfälle, in denen ich mich daran erinnern musste, was meine Aufgabe war.

Auch in Sachen Arbeitsorganisation erwies sich meine Zeit mit der Nationalmannschaft als gute Schule. Ich bin sonst ein ziemlicher Schussel und brauche alle sechs Wochen eine neue Sonnenbrille, weil ich sie irgendwo liegen lasse. Normalerweise könnte es auch passieren, dass ich eine Kamera liegen lasse oder sie so hinstelle, dass sie garantiert umfällt. In den sieben Wochen mit der Nationalmannschaft fiel mir die Kamera aber nur einmal hin, und zwar am vorletzten Tag in Stuttgart. Ich habe während dieser Zeit gelernt, nichts zu vergessen, weil ich mich im Rhythmus der Mannschaft auf die Spiele vorbereitet habe. Schon im Hotel bin ich das Spiel durchgegangen und was ich dabei brauchen würde. In der Kabine habe ich noch einmal kontrolliert, ob alle Sachen da waren: die Kamera, das Mikro, das Stativ, ob ich genug Akkus und leere Tapes dabeihatte. Während die Spieler und Betreuer sich aufs Spiel konzentrierten, habe ich mich auf den Film konzentriert.

Dazu gehörte es auch, in der Kabine den richtigen Standort zum Drehen zu finden. München war ideal, weil die Kabine dort nicht nur sehr groß ist, sondern eine kleine Empore hat, auf die ich mich mit der Kamera setzen konnte, ohne den anderen im Weg zu sein. Nur hatte ich gegen Costa Rica das Pech, dass Klinsmann seine Ansprache mit dem Rücken zu mir genau in die andere Richtung hielt. Damit konnte ich sie für den Film vergessen, aber bei den nächsten Spielen lernte ich vorauszuahnen, in welche Richtung er sprechen würde.

Nach dem Eröffnungsspiel musste Klinsmann die Mannschaft in der Kabine fast zum Jubeln animieren. Er rief: »Super, unser erster Dreier, den nimmt uns keiner mehr weg.« Das fand ich auch, und das 4:2 war aus meiner Sicht ein prima Fußballergebnis. Ich war stolz darauf, dass es das torreichste Eröffnungsspiel seit Jahrzehnten war. Mir war es deutlich lieber als ein nüchternes 2:0, und die beiden Gegentore waren mir auch egal. Bei einem glatten 4:0 hätten wieder alle erwartet, dass es gegen Polen ganz leicht sein würde. So wusste jeder, dass die Mannschaft sich noch steigern musste. Mir erschienen Spiel und Ergebnis fast ideal, aber mit meinem Überschwang war ich ziemlich allein. Auch auf das Lob von Klinsmann stiegen die Spieler nicht groß ein. Sie hatten schon auf dem Platz gejubelt, ihre Ehrenrunde gehabt und jetzt schon das nächste Spiel im Kopf. Für sie galt wohl immer noch die alte Wahrheit von Sepp Herberger: »Nach dem Spiel ist vor dem Spiel.«

Es dauerte irrsinnig lange, bis wir das Stadion in München verließen. Vom Abpfiff vergingen mehr als zwei Stunden, bis alle geduscht und umgezogen waren, zwei Spieler ihren Dopingtest erledigt hatten, Fernsehinterviews gemacht waren und der Gang durch die Mixed-Zone mit den Interviews beendet war. Dann fuhren wir zum Flughafen, und als wir endlich wieder in unserem Hotel in Berlin ankamen, waren die Sensationen eines Eröffnungsspiels der Weltmeisterschaft fast schon verflogen, und es war ein bisschen, wie von der Arbeit nach Hause zu kommen.

Arne Friedrich liest keine Zeitung
11. Juni 2006, Berlin

In den folgenden Tagen wurden Ergebnis und Leistung der deutschen Mannschaft im Eröffnungsspiel durch die anschließenden Partien noch deutlich aufgewertet. In unserer Gruppe hatte Polen überraschend gegen Ecuador verloren, während sich Italien, Frankreich, England und Brasilien bei ihren ersten Spielen äußerst schwer taten. Man merkte, dass bei unseren Spielern der Stolz auf den Auftakt nachträglich noch wuchs. Vor allem Philipp Lahm hätte mit etwas Luft zwischen seinen Fußsohlen und dem Erdboden durchs Hotel schweben können (was er nicht tat), denn nicht nur der große Pelé hatte ihn zum Kandidaten für die Entdeckung des Turniers ausgerufen. Maradona hatte noch einen draufgesetzt, indem er Lahm gleich mal in seine Kandidatenliste für den besten Spieler des Turniers aufnahm.

Es waren jedoch nicht alle glücklich. Arne Friedrich etwa bekam für seine Leistung im Spiel gegen Costa Rica im *Kicker* eine 6, und weil deren Noten jenen in der Schule entsprechen, bedeutete das: schlechteste Note, ungenügend. Dass er sonderlich gut gespielt hätte, hätte auch intern niemand gesagt. Aber innerhalb der Mannschaft wurde Friedrich dennoch nicht angezweifelt. Einerseits wusste jeder, dass man mal ein schlechtes Spiel machen oder eine schwächere Phase haben kann. Deshalb drückte generell jeder allen anderen die Daumen, es sei denn dem direkten Konkurrenten um einen Platz im Team. Den aber hatte Friedrich nicht. Im Gegenteil: Bernd Schneider, der dafür in Frage kam, spielte viel lieber im Mittelfeld und dürfte schon allein deshalb gesagt haben: Arne, du machst das schon. Auch Torsten Frings wollte auf keinen Fall auf die Position hinten rechts zurück. Sonst hätte es noch die Möglichkeit gegeben, den Rechtsfuß Lahm auf die rechte Abwehrseite wechseln zu lassen und auf dessen Position Jansen oder Hitzlsperger einzusetzen, was später im Spiel gegen Portugal auch gemacht wurde. Aber das war nur eine Notlösung.

An dieser Stelle stellte ich auch fest, dass die Nationalmannschaft sich in einer von der Öffentlichkeit ziemlich abgedichteten Welt bewegte. Es wurde von allen relativ wenig Zeitung gelesen, was auch damit zu tun hatte, dass sie nicht einfach zu bekommen waren. Noch beim Confederations Cup hatten beim Frühstück die Tageszeitungen ausgelegen, während der Weltmeisterschaft gab es das nicht mehr. Es war zwar niemandem verboten, aber wer Zeitung lesen wollte, musste ins Nebengebäude gehen, wo Harald Stenger und Co. mit dem Pressebüro untergebracht waren.

Weil ich dort häufiger gewesen bin, konnte ich beobachten, dass während des Turniers nur wenige Spieler auftauchten, um sich die Zeitungen anzugucken. Lukas Podolski war sehr oft da, und David Odonkor hab ich dort auch gelegentlich gesehen. Der Rest kam selten oder nie. Vielleicht haben einige Spieler die Zeitungen im Internet gelesen, doch insgesamt hatten die Medien keine große Wirkung in die Mannschaft hinein. Das lag auch daran, dass sich die Trainer davon nicht beeinflussen ließen. Friedrich sollte trotz seiner 6 im *Kicker* im nächsten Spiel gegen Polen wieder spielen und tat das, wie ich fand, sehr überzeugend.

Geburt einer Mannschaft
14. Juni 2006, Dortmund

Dortmund war schon vor dem Spiel gegen Polen in der Mannschaft ein Thema, weil keiner das Gefühl hatte, dass man da verlieren kann. Alle wussten: Die deutsche Nationalmannschaft ist hier ungeschlagen. Es hatten sicherlich die wenigsten Spieler die Statistik parat, dass von elf Spielen in diesem Stadion zehn gewonnen worden waren, aber einige von ihnen hatten bereits 2001 mitgespielt, als die deutsche Mannschaft in der Relegation zur Weltmeisterschaft die Ukraine mit 4:1 schlug und sich damit endgültig für die Endrunde in Japan und Korea qualifizierte. Und die meisten waren im März 2006 in Dortmund dabei gewesen, als das 4:1 über die USA die vermeintliche Krise und viele Diskussionen beendete.

Natürlich macht man innerhalb einer Mannschaft auch Planspiele:

Wenn wir gegen Polen gewinnen, sind wir schon im Achtelfinale. Wenn wir dann noch Gruppensieger werden, haben wir anschließend die Tour München, Berlin und im Halbfinale wieder Dortmund. Darauf haben viele spekuliert, auch unter den Betreuern hieß es, dass wir das Halbfinale schon mal nicht verlieren können, wenn wir wieder nach Dortmund kommen. Kein Wunder, dass diese Stimmen nach dem Spiel gegen Polen noch lauter wurden.

Da ich kein großer Stadiongänger bin, können meine persönlichen Erfahrungen bei der Bewertung der Atmosphäre des Spiels kein Maßstab sein. Ich habe in meinem Leben auch nicht so viele Länderspiele live erlebt, wobei mein großartigstes Erlebnis das Halbfinale bei der Europameisterschaft 1996 war, als es im Wembley-Stadion gegen England ein grandioses Spiel mit Verlängerung gab und Deutschland im Elfmeterschießen gewann. Damals war eine solche Energie im Stadion, dass mir abwechselnd kalt und heiß geworden war. Daran fühlte ich mich beim Spiel gegen Polen erinnert. Hinterher haben fast alle Spieler ungefragt gesagt, dass sie so etwas noch nie erlebt hätten.

Der ganze Abend war magisch. Es wird manchmal gesagt, dass die Wirkung der Zuschauer auf das Spiel überschätzt wird, aber in Dortmund kam eine derart intensive Energie von den Rängen, dass man sie nur schwer beschreiben kann. Es hatte mit der Lautstärke zu tun und mit der Enge des Stadions, denn die Zuschauer sind dort ganz nah am Spielfeld. Vielleicht waren auch wirklich ausschließlich Leute auf den Rängen, die bereit waren, alles zu geben. Von der früheren Haltung bei Länderspielen, sich hinzusetzen und bedienen zu lassen, war jedenfalls nichts mehr zu merken. Angesichts dieser Begeisterung wäre es selbst bei einem 0:0 noch ein großartiger Abend gewesen, aber die Zuschauer trieben die Mannschaft mit ihrem Willen zum Sieg in letzter Minute.

Große Momente nach dem größten Moment

Für mich war es der größte Moment bei der Weltmeisterschaft, als Oliver Neuville das 1:0 gegen Polen schoss. Die Mannschaft hatte dieses Siegtor erzwungen, sie hatte besessen dafür gearbeitet, sie wollte unbedingt gewinnen. Sie hatte eine Reihe guter Torchancen vergeben, aber die letzte genutzt. Obwohl es nur ein Vorrundenspiel war, dachte ich: Sie können alles schaffen, und die Spieler haben das in dem Moment auch gespürt.

Wenn das Spiel mit einem 4:1-Sieg ausgegangen wäre, hätte das vermutlich keine so große Wirkung gehabt. Bei hohen Siegen ist es oft so, dass der Gegner nach dem zweiten Gegentreffer zusammenklappt und nur noch wenig Gegenwehr bietet. Ein Freistoßtor oder ein Kopfballtreffer nach einer Ecke wären ebenfalls nicht so wertvoll gewesen. Dass aber der junge Odonkor auf der rechten Seite den Gegner überrannte und mit Neuville ein weiterer Einwechselspieler traf, machte den Sieg so wertvoll. Dass dieses Tor nicht schon nach zehn Minuten fiel, sondern in der Nachspielzeit, wurde zudem von allen als Bestätigung der vorherigen Arbeit empfunden und hat zur ungeheuren Wirkung dieses Siegtreffers beigetragen. Wie er gewollt und wie er geschafft wurde, adelte diesen 1:0-Sieg, der sonst eigentlich der unspektakulärste aller Siege ist. Ich kann mich jedenfalls an kein großartigeres 1:0 erinnern.

Für mich bedeutete er zugleich die Geburtsstunde dieser Mannschaft, und Klinsmann hat es ebenfalls so gesehen. Als ich ihn nach der Weltmeisterschaft noch einmal in Kalifornien besuchte, um mit etwas Abstand über das Turnier zu sprechen, hat er gesagt: »Das Obergeilste war das Tor gegen Polen, da ist in jedem von uns ein Vulkan ausgebrochen. Von da an sind wir auf einer Welle der Euphorie und guten Laune gewesen.« Doch so bewegend es im Stadion auch gewesen war, so wahnsinnig auf dem Platz alle gejubelt hatten und so verrückt wir am Seitenrand herumgesprungen waren, in der Kabine war wie schon nach dem Sieg über Costa Rica fast nichts mehr davon übrig. Torschütze Neuville bekam noch ein wenig Wasser über den Kopf geschüttet, das war's auch schon mit dem Überschwang. Es hatte eine lange Ehrenrunde gegeben, die im Schritttempo absolviert wurde. Da waren schon mal 20 Minuten vergangen, um zu begreifen, was das bedeutete.

Trotz der Größe des Augenblicks waren die Spieler schon beim nächsten Spiel. Oder vielleicht muss man sagen: Sie orientierten sich in die Zukunft. Es war nach diesem denkwürdigen Abend klar, dass die Mannschaft im Achtelfinale steht. Also wussten alle, dass es nicht nur die letzte Partie um den Gruppensieg gegen Ecuador geben würde, sondern eben auch das Achtelfinale. Sie wussten zudem, dass sie mit einem Sieg im letzten Gruppenspiel Erster wären und damit auf der bevorzugten Route durchs Turnier. Das eröffnete auch die Chance auf ein weiteres Spiel in Dortmund – im Halbfinale.

Unternehmen Capricorn
15. Juni 2006, Berlin

Wir reisten noch in der Nacht in unser Hotel nach Berlin zurück. Es war zwei Uhr morgens, als wir dort ankamen, aber ich konnte nicht einschlafen. Also habe ich im Videotext gelesen, was über das Spiel geschrieben wurde und fand eine Nachricht, nach der sich auf der Fan-Meile in Berlin 500.000 Zuschauer das Spiel angeschaut hätten. Ich musste ein bisschen schmunzeln: Da war der Redaktion im Übereifer wohl ein Schreibfehler unterlaufen und sie hatte eine Null zu viel angehängt.

Dass ich es nicht glauben konnte, hatte nichts mit besonderer Skepsis zu tun. Auch in den folgenden Tagen – im Grunde genommen fast die ganze Zeit der Turniers über – kam die Euphorie in Deutschland auf dem Planeten Nationalmannschaft nicht richtig an. Klar habe ich mit Leuten telefoniert, die mir nach den deutschen Siegen sagten: »So, wir gehen jetzt noch hupen.« Aber so etwas blieben für uns Informationen aus zweiter Hand. Wir sahen auf unseren Fahrten zum Training oder zu den Spielen, dass überall an den Autos die kleinen Deutschland-Fähnchen auftauchten. Wir ahnten auch, dass die Leute diese Mannschaft gut fanden und bereit waren, von ihr auf eine emotionale Reise mitgenommen zu werden. Nach der magischen Nacht gegen Polen sprach Klinsmann von einem Schulterschluss zwischen Mannschaft und Fans, aber jenseits der Spiele kam die Stimmung im Land trotzdem sehr vermittelt an. Die Spieler sahen die Berichte im Fernsehen, sie telefonierten mit ihren Frauen oder Freundinnen, und sie sprachen mit ihren Kumpels darüber. Wir wussten, was los war, aber wir konnten es gefühlsmäßig nicht erfassen. Es war, als hätten wir auf Reisen in Südafrika oder Australien die Bilder aus Deutschland gesehen und gedacht: Mensch, zu Hause ist ja ganz schön was los!

Es gibt einen Astronauten-Film, der auf Deutsch »Unternehmen Capricorn« heißt. Dort fliegen vorgeblich ein paar Leute zum Mars, die in Wirklichkeit aber irgendwo kaserniert werden, um der Öffentlichkeit eine tolle Raumfahrtmission vorzuspielen, damit die NASA weiterhin Geld von der Regierung bekommt. War es bei uns vielleicht ähnlich? Sollte uns mithilfe von fingierten Nachrichten und gefälschten Filmbeiträgen eine riesige Euphorie im Land suggeriert werden? Saßen im Keller des Schlosshotels Grunewald ehemalige Stasimitarbeiter, deren Aufgabe es war, bei der Mannschaft den Eindruck entstehen zu lassen, ganz Deutschland steht hinter ihr? Als ich im Videotext von den 500.000 Zuschauern auf der Fanmeile las, waren sie enttarnt. Eine halbe Million Menschen, die zum Fußballgucken vor eine Großbildleinwand ziehen, da hatten sie einfach zu dick aufgetragen.

Hallo, Deutschland
16. Juni 2006, Berlin

Wie viele meiner Generation hatte ich früher ein ironisch-distanziertes Verhältnis zur Nationalmannschaft, was sich aus meiner politischen Sozialisation ergab. Als 1959 Geborener bin ich zwar kein 68er, aber vielleicht könnte man mich einen Post-68er nennen. Ich war in der Schule Klassensprecher, hatte dann die Schülerzeitung mitgemacht und war beinahe Mitglied in der SDAJ, der Sozialistischen Deutschen Arbeiterjugend, geworden. Jedenfalls fuhr ich mit denen im Laufe der achtziger Jahre häufiger zu Demonstrationen, meistens gegen Atomkraft oder auch mal gegen die Startbahn West. Der Nationalhymne und der deutschen Fahne stand ich mit generationstypischer Skepsis gegenüber, was mit der deutschen Geschichte zu tun hatte und dem Gefühl, dass deren dunkle Teile immer noch verdrängt wurden.

Diese Antihaltung war ein Grund, warum ich der deutschen Nationalmannschaft nicht mehr so begeistert gegenüberstand, wie das noch als Kind der Fall gewesen war. Der andere Grund war die Art von Fußball, den sie oft spielte. Netzer war mein erster großer Held im Nationalteam gewesen, doch seine Zeit dort war kurz, und bereits bei der Weltmeisterschaft 1974 in Deutschland war ich schon etwas zwiegespalten. Einerseits war ich mit 14 Jahren noch in einem Alter, wo man einigermaßen ungebrochen zu Deutschland hält, aber eigentlich fand ich die Holländer cooler. Ihr ganzes Auftreten und wie sie Fußball gespielt haben, hat mir besser gefallen, vor allem Cruyff und Neeskens waren toll. Vielleicht habe ich mich auch deshalb mit den Holländern identifiziert, weil mir als Fußballer eher das Spielerische gefiel.

Es gab früher in Deutschland viele Leute, die beim Fußball mental den Gang ins Exil machten und andere Nationalmannschaften adoptierten. Seit der Weltmeisterschaft 1990 etwa waren afrikanische Mannschaften beliebt, nachdem Kamerun mit Roger Milla in Italien so aufgetrumpft hatte. Selbstverständlich begeisterten sich auch in Deutschland stets viele Leute für Brasilien, und einige haben auf Schottland gestanden, weil das der sympathische Außenseiter schlechthin war. Ich hatte zwar auch Vergnügen daran, wenn Underdogs gegen große Favoriten siegten, aber zugleich wollte ich die großen Klassiker sehen: Deutschland gegen Brasilien oder gegen England. Deshalb habe ich teilweise doch wieder den Deutschen die

Daumen gedrückt, weil ich auf große Spiele gehofft habe.

Die Zugehörigkeit zu einem Land allein reichte mir dennoch nicht aus, um Fan der deutschen National-mannschaft zu sein. Ich wollte nicht stolz darauf sein müssen, dass man mit viel Glück das 1:0 in der Verlän-gerung macht. Damals hat die deutsche Mannschaft oft schrecklichen Fußball gespielt. Unvergessen ist das grausige Ballgeschiebe zwischen Deutschland und Österreich bei der Weltmeisterschaft 1982 in Spanien, während die deutsche Mannschaft 1986 in Mexiko unter Franz Beckenbauer nur durch den Einsatz aller verfügbaren Vorstopper ins Finale gekommen ist. 1988, als die Europameisterschaft in Deutschland stattfand, war ich in Brasilien im Urlaub und habe vor dem Fernseher gejubelt, als Holland im Halbfinale durch Van Basten das Siegtor gegen Deutschland schoss. So weit ging das.

1996 ging ich in die USA und habe anschließend vier Jahre lang dort gelebt. Meine Perspektive änderte sich dadurch, und zugleich entspannte sich mein Verhält-nis zu Deutschland, wohin ich zwischendurch immer wieder zum Arbeiten zurückkehrte. 1998 fand ich es höchste Zeit, dass die Ära von Helmut Kohl als Bun-deskanzler nach 16 Jahren zu Ende ging. Ich wollte, dass Gerhard Schröder und Joschka Fischer die Chance bekamen, jene Utopien zu verwirklichen, die ich selbst mal im Kopf hatte. Als sie die Regierung übernahmen, verlor sich meine Distanz zu Deutschland noch mehr. Ich fand es gut, dass die Deutschen eine grüne Partei in die Regierung gewählt hatten. Auch durch die Erfahrungen in Amerika war ich der Meinung, dass Deutschland schon ein guter Platz zum Leben sei. Der entscheidende Unterschied zu anderen Ländern blieb jedoch, dass die Leute bei uns viel mehr nörgeln.

Vom Verschwinden meiner Antihaltung gegenüber dem Land profitierte auch die Nationalmannschaft. Jedenfalls, wenn sie gut spielte. Ich fand die Europameisterschaft 1996 in England klasse, aber richtig mitgerissen hatte mich das Nationalteam erst wieder, als 2004 durch den Trainerwechsel nicht nur anderes Personal kam, sondern Klinsmann, Bierhoff, Löw und Köpke auch für einen Paradigmenwechsel sorgten. Sie wollten mit der deutschen Nationalmannschaft nicht nur gewinnen, sie wollten auch attraktiv spielen. So kamen nach dem Sieg über Polen in Deutschland plötzlich verschiedene Dinge zusammen. Es begann sich nicht nur ein sportlicher Erfolg der deutschen Mannschaft abzuzeichnen, der Begeisterung im ganzen Land auslöste. Zugleich erwies sich der WM-Slogan, »Die Welt zu Gast bei Freunden«, als mehr als nur eine Phrase, denn offensichtlich fanden sich die meisten Gäste in diesem Land wirklich freundschaftlich behandelt. Die Weltmeisterschaft 2006 bestätigte meine geänderte Haltung zu Deutschland. Ich hatte das Land schon seit geraumer Zeit für wesentlich besser gehalten, als die Welt meinte – und als die Deutschen selbst.

Die deutsche Mannschaft wirkte wie ein Katalysator, denn sie passte mit ihren sympathischen Spielern und Trainern perfekt zum neuen deutschen Selbstbild. Dort kickten zudem keine groben Rumpelfüßler mehr, es machte sogar Spaß, ihnen zuzusehen – auch den Frauen, wie ich bei meiner eigenen Frau feststellen konnte. Bis zur Weltmeisterschaft hatte sie Fußball gegenüber eher eine Antihaltung eingenommen, und mein einziger Versuch, sie zu missionieren, war ein paar Jahre vorher gescheitert, als ich sie zu einem Spiel zwischen Bayern München und Arsenal London mitgenommen hatte. Danach wollte sie nie wieder ins Stadion gehen. Doch auch an ihr ging diese Weltmeisterschaft nicht spurlos vorbei, ein Phänomen, das es häufig gab. Frauen, die sich vorher nicht für Fußball interessierten, wurden für die Dauer des Turniers zu Fußball-Junkies. Ich hatte darauf bestanden, dass sie sich zumindest ein Spiel der Deutschen bei der WM im eigenen Land anschaut. Weil sie dabei noch eine gute Freundin in Berlin besuchen konnte, fiel die Wahl auf die Partie gegen Ecuador. Anschließend war sie an der Nadel. Ich glaube, der Stoff war die tolle Liveatmosphäre und die Erkenntnis, dass Fußball nicht mehr nur ein Sport für grölende Bierbäuche mit kurzen Haaren war.

Man sagt, dass man niemanden lieben kann, wenn man sich nicht selbst liebt. Das gilt in Beziehungen, aber vielleicht auch beim Miteinander der Völker. Nimmt man das Halbfinale gegen Italien aus, das wegen der Sperre von Torsten Frings atmosphärisch überhitzt war, wurde jedenfalls bei keiner anderen Partie der deutschen Mannschaft die Nationalhymne des Gegners ausgepfiffen. Das war früher bei deutschen Länderspielen fast immer anders gewesen. Doch als Deutschland zum ersten Mal nicht mehr permanent mit sich haderte und sich sogar irgendwie nett finden konnte, seit die Deutschen die eigene Hymne mitsingen, sich dabei in den Arm nehmen und auch das gut finden konnten, konnten sie offenbar auch die anderen besser akzeptieren.

Alles muss seine Ordnung haben
19. Juni 2006, Berlin

Am Tag vor dem Spiel gegen Ecuador bin ich mit der deutschen Delegation ins Olympiastadion gefahren, um dort an einer der üblichen Vorbesprechungen der Fifa teilzunehmen. Die Sitzung begann nachmittags um zwei Uhr, dauerte eine gute Stunde und war durchaus nicht unkomisch, denn dort wurde unter der Leitung des *Match Coordinators* mit den Abgesandten der beiden Teams alles festgelegt, was man nur irgendwie festlegen konnte.

Zunächst ging es um die Auswahl der Trikots, wozu beide Seiten ihre Musterköfferchen öffnen und zeigen mussten, wie sie spielen wollten. Für den Fall, dass der Mann von der Fifa gemeint hätte, dass die Trikots sich nicht genug unterscheiden, mussten sie ihre Ausweichtrikots dabei haben. Auch die Torhüter durften ihre Trikots nicht selbst bestimmen, es entspricht also nicht unbedingt ihrem persönlichen Geschmack, was sie im Tor tragen.

Gegen Ecuador war die Wahl der Trikots kein Thema, erstaunlicherweise wurde sie es aber später gegen Italien. Die Italiener wollten im Halbfinale traditionell in Blau-Weiß-Blau spielen, mussten aber ganz in Blau antreten, obwohl sie das nicht wollten. Es wurde heftig darüber debattiert, wobei zwischendurch die Idee aufkam, dass die deutsche Mannschaft ganz in Weiß antreten müsse, was wieder verworfen wurde.

Nachdem für die Partie gegen Ecuador die Textilfrage geklärt war, wurde festgelegt, wer in welche Kabine geht und wer sich in welcher Spielhälfte aufwärmt. Danach wurde minutiös vorgegeben, wann die Torwarte zum Aufwärmen auf den Platz kommen, in welcher Hälfte sie das tun und wann die Feldspieler folgen dürfen. Es wurde festgelegt, wann der Schiedsrichter die Spieler zum Spiel aus den Kabinen holt, wann sie sich im Spielertunnel sammeln, wer dort rechts steht und wer links, wann man rausgeht, wann die Nationalhymnen gespielt werden. Mit welcher Akribie das gemacht wurde, war faszinierend. Die Tätigkeit des *Match Coordinators* ist ein Traumjob für alle Erbsenzähler.

Vielleicht sollte sich einer von ihnen jedoch mal des Themas annehmen, dass es zwischen dem Verlassen der Kabine und dem Anpfiff viel zu lange dauerte. Bei Bundesligaspielen geht man raus, sammelt sich im

Gang, geht auf den Platz, und nach der Seitenwahl wird angepfiffen. Bei den WM-Spielen wartete man erst einmal relativ lange im Spielertunnel, auf dem Platz werden die Nationalhymnen gespielt, dann muss noch ein Mannschaftsfoto gemacht werden, so vergeht bis zum Anpfiff fast eine Viertelstunde. Lukas Podolski hat gesagt, dass er es schwer fände, in dieser Zeit die Spannung zu halten, weil man so viel stehen würde. Das mag sein, aber Miroslav Klose schien das keine Probleme zu machen. Er schoss am nächsten Tag das 1:0 gegen Ecuador schon nach vier Minuten.

Wenn der Baum brennt
20. Juni 2006, Berlin

Ich hatte damit gerechnet, dass er
schweres Geschütz auffahren würde,
und so kam es auch. Als die Spieler
vor der Partie gegen Ecuador in der
Kabine zusammensaßen, drohte
Jürgen Klinsmann ihnen sogar. Er
kündigte an, jeden nach 20 Minuten
vom Platz zu nehmen, der nicht von
Beginn an voll konzentriert wäre.
Das war insofern bemerkenswert,
weil er weder vorher noch danach
mit Drohungen arbeitete. Ich fand
es vor diesem Spiel aber richtig,
denn die Situation lud zu Nach-
lässigkeiten ein, weil wir bereits für
das Achtelfinale qualifiziert waren.
Wir konnten aber als Erster unserer
Gruppe in den K.O.-Spielen die vermeintlich schönere Tournee über
München, Berlin und Dortmund
buchen. Das würde zwei Reisetage
weniger bedeuten, und auf diese
Weise konnte man vermutlich auch
England aus dem Weg gehen.

Abgesehen von der Drohung, hat Klinsmann den Spielern aber vor allem wieder eingetrichtert, dass sie besser als die anderen sind und auf jeden Fall gewinnen würden. Bei manchen dieser Ansprachen in der Kabine war ich gefangen. Wenn ich es mal nicht war, dachte ich aber zumindest, dass die Themen schlau gewählt waren. Vor dem Spiel gegen Polen etwa hatte er überraschend deutlich auf die Möglichkeit eines Rückstandes hingewiesen. Es könne schließlich immer mal passieren, dass man ein 0:1 kassiert. Die Möglichkeit hatte er ganz ruhig angesprochen, damit die Mannschaft im Fall der Fälle nicht unter Schock geriet, weil sie sich vorher die ganze Zeit über nur stark geredet hatte.

Im Laufe einer Weltmeisterschaft nehmen die Unterschiede zwischen den Mannschaften von Runde zu Runde ab und oft entscheidet die Tagesform. Wenn zwei Mannschaften jedoch spielerisch gleich gut sind, taktisch gleich gut eingestellt werden und keine unvorhergesehenen Fehler passieren, ergeben sich ganz enge Spiele, in denen tatsächlich die letzten fünf Prozent entscheiden. Und woher sollten sie kommen? Einerseits von einer etwas besseren Fitness, um noch den einen Schritt mehr oder schneller machen zu können. Aber auch vom Zusammenhalt im Team und dem Glauben jedes Einzelnen an sich selbst. Und Klinsmann wirkte ansteckend selbstsicher. Wenn er zwei Tage vor einem Spiel sagte, dass übermorgen im Stadion der Baum brennt, hat man gedacht: Klar, da wird schon der Baum brennen.

Durch fast alle seine Ansprachen, ob in der Kabine oder bei den taktischen Besprechungen, zog sich, dass er die eigenen Stärken herausstellte und zugleich die Schwächen der Gegner. So erzählte er vor dem Spiel gegen Polen erst etwas davon, dass sie stark bei Kontern seien, um im gleichen Satz »aber vor allem sind sie unsicher« anzufügen. Vor dem Viertelfinale gegen Argentinien sagte er nach einer ausführlichen Analyse ihrer Spielweise abrupt: »Aber morgen reden wir nur noch über uns.« So energisch seine Ansprachen auch waren, »Die hauen wir weg!« hat er für mich ein paar Mal zu viel gesagt. Aber diese Phrase war auch ein Ausdruck seiner Emotionalität, die man auf der Bank deutlich merken konnte.

Bernd Schneider hat Ecuador weggehauen und hofft auf England

Ecuador wurde dann ziemlich weggehauen. Unsere Mannschaft war von Beginn an wach und blieb konzentriert, bis sie den Sieg in der Tasche hatte. Die ersten Auswechslungen gab es erst nach 66 Minuten, und Klose wie Frings wurden vom Platz geholt, um sie etwas zu schonen.

Unser Spiel war nachmittags, während die Partie der Engländer gegen Schweden abends ausgetragen wurde. So spielten die beiden Mannschaften auch darum, wer als Erster ihrer Gruppe das Spiel gegen uns vermeiden konnte. England gelang es mit Mühe und Not durch ein umkämpftes Unentschieden, was den meisten bei uns sehr recht war, aber einige Spieler wären lieber gegen England angetreten. Bernd Schneider fand, dass sie nicht gut drauf wären. Das hatte er gut beobachtet, wie der weitere Verlauf des Turniers zeigen sollte, wo England enttäuschte und bereits im Viertelfinale an Portugal scheiterte. Seine Ansicht war aber auch ein Zeichen des wachsenden Zutrauens, jeden schlagen zu können.

This is not America
21. Juni 2006, Berlin

Klinsmanns Optimismus und seine Begeisterung sind immer wieder so ausgelegt worden, dass er durch sein Leben in Kalifornien amerikanisiert worden sei, und oft ist das als Vorwurf gemeint gewesen. Er hatte sicherlich eine andere Motivation, in den USA zu leben, als ich sie damals hatte. Für ihn ist das Leben dort angenehmer, weil es anonymer ist als in Deutschland. Außerdem ist seine Frau Debbie Amerikanerin und wollte nach Jahren in Europa wieder in ihr Heimatland zurück. Wenn man die richtige Lebenspartnerin gefunden hat und es ihr unbedingter Wunsch ist, geht man auch mit. Wer könnte das besser verstehen als ich: Für meine Frau bin ich sogar nach Ratingen-Ost gezogen.

Als ich 1996 in die USA ging, benutzte ich den gleichen Flughafen, wie Klinsmann es heute tut. Sein

Wohnort Huntington Beach liegt jedoch eine Stunde südlich vom Los Angeles International Airport, während es für mich eine Stunde in Richtung Norden nach Hollywood Hills ging. Ich hatte damals gerade mit »Der bewegte Mann« einen großen Kinoerfolg, weshalb sich Hollywood für mich interessierte. Das ist nicht unüblich, auch heute noch werden viele sogenannte Hollywood-Filme von Europäern gemacht. Irgendwann konnte auch ich dort einen Film machen, aber leider war »The Hollywood Sign«, nach dem gar nicht mal schlechten Roman von Leon de Winter, nicht wirklich gelungen. Er kam daher nicht einmal ins Kino, *straight to video* nennt man das dort diplomatisch.

Zum Glück habe ich mich während dieser Zeit nicht komplett auf Hollywood verlassen, sondern zwischendurch in Deutschland Werbespots gedreht. Dieses Leben auf zwei Kontinenten hatte aber nicht nur wirtschaftliche Gründe. Nach zwei Monaten in Amerika hatte ich stets das Bedürfnis, wieder zurück nach Europa zu kommen. War ich zwei Monate hier, zog es mich zurück in die USA. Dort gibt es zwar starke Kräfte, die einen ungeheuer motivieren können, aber auch eine gewisse Eintönigkeit im Leben. Weil ich zwischendurch nach Europa zurückkam, hatte ich also das Beste aus beiden Welten.

Klinsmann, so kam es mir vor, hatte sich für die zwei Jahre vor seiner Amtsübernahme im Herbst 2004 bis zur Weltmeisterschaft ähnlich eingerichtet. Von Amerika hatte er sich das genommen, was auch ich dort als gut empfinde. Ich habe die USA früher mein »Motivationstrainingslager« genannt. Was das bedeutet, stellt man schon im täglichen Umgang fest. Fragt man jemanden, wie es geht, dann bekommt man meistens *I'm fine* als Antwort. Das bedeutet aber nicht, wie in der wörtlichen Übersetzung, *mir geht's wunderbar*, sondern will eher sagen: Ich hab zwar meine Problemchen, aber die werde ich schon irgendwie lösen. *I'm fine* steht also für eine optimistische Grundhaltung. Weil sie im amerikanischen Alltag so dominant ist, bekommt man dort wirklich das Gefühl, alles schaffen zu können, so abgedroschen es sich anhören mag. Im Gegensatz zu Deutschland, wo man zu hören glaubt: Das kann man doch nicht machen, wenn das jeder machen würde. War es nicht genau auch das, was Klinsmann vorgeworfen wurde? Wozu braucht er Fitnesstrainer aus Amerika? Was will er mit einem Psychologen? Warum pendelt der zwischen Deutschland und den USA? In Deutschland wird auch stets auf Fehler gewartet. Wer einen großen Erfolg hatte, steht fortan unter besonderer Beobachtung und wird entsprechend streng kritisiert. Auch für Klinsmann wurde in Deutschland eine Fehlerstrichliste geführt, und ich war mir ziemlich sicher, dass er nach der Weltmeisterschaft gerade davon nichts mehr wissen wollte.

Schottlands Rosen in Gefahr
22. Juni 2006, Berlin

In meiner Zeit im Nationalteam habe ich erstaunlich viel Freizeit gehabt. Der Nationalspieler als solcher schläft ja mindestens bis zehn Uhr, und da ich es wegen der Kinder gewohnt bin, um halb sieben aufzustehen, stellte sich bei mir ein wenig Urlaubsstimmung ein. Nach zehn Uhr gab es also Frühstück, anschließend war Training, wovon ich meist den Anfang gefilmt habe, wenn einer der Trainer etwas erklärte. Nach dem Training fuhren wir zurück, um zwei Uhr gab es Essen und danach war Mittagsruhe. Je nachdem, ob ein Spiel anstand oder nicht, war nachmittags noch ein zweites Training und abends eventuell eine Spielersitzung angesetzt.

Das war relativ erholsam im Vergleich zu meinem sonstigen Programm, aber so konnte ich mir während der Freizeit schon das Material für den Film anschauen, dessen Arbeitstitel »Die Schottischen Rosen« war. Das hatte nichts mit Fußball zu tun, und genau das sollte es auch nicht. Schließlich filmte ich hochbrisantes Material. Ich bin zwar nicht hysterisch, aber man konnte nicht ausschließen, dass Boulevard-Magazine im Fernsehen oder auch Zeitungen viel Geld dafür zahlen würden, um die Bilder schon während der laufenden Weltmeisterschaft in die Hände zu bekommen. Ich schloss sogar kriminelle Energie nicht ganz aus, dass man jemandem ein paar Tausend Euro geben würde, um an meine Aufnahmen zu kommen. Weil meiner Ansicht nach also die Gefahr bestand, dass im Hotel in mein Zimmer eingebrochen werden könnte, habe ich die Kassetten immer sofort in den Hotelsafe getan.

Aber nicht nur in Berlin konnte das Material entwendet werden, sondern auch im Schneideraum in München, wo die Kassetten überspielt, geordnet und vorgeschnitten wurden. Er war bei ARRI in München auf einem Flur im dritten Stock, wo zwölf Schneideräume nebeneinander sind, in denen Fernseh- und Kinofilme geschnitten werden. Da hätte man leicht reingehen und was mitnehmen können, weshalb ich mit meinen Mitarbeitern besprochen hatte, dass sie aufpassen müssten, wirklich immer abschließen und nichts rumliegen lassen sollten. Um geheim zu halten, dass dort Bilder aus dem Innersten der deutschen Mannschaft zu sehen waren, sollte auch der Filmtitel an der Tür des Schneideraums so wenig mit Fußball zu tun haben, wie nur irgend möglich, also nicht etwa »WM-

Doku 06, Backstage«. »Die Satanischen Fersen« war mal kurz im Gespräch, weil ich den Namen noch von einer Mannschaft aus der Bunten Liga kannte, aber das hatte eben noch mit Fußball zu tun. Privatdetektive sind schließlich pfiffig und zählen eins und eins zusammen. »Die Schottischen Rosen« hingegen klang nach Rosamunde Pilcher und damit fern genug vom Fußball.

Mit der Zeit zerstreuten sich die Sorgen, Einbruchsspuren an der Tür meines Hotelzimmers fanden sich auch keine, und ich konnte mich etwas entspannter dem Fluss des Lebens mit der Nationalmannschaft hingeben. Manchmal dachte ich dabei, dass ich vielleicht doch mehr Energie hätte aufwenden sollen, um Fußballprofi zu werden. Neben den angenehmen Seiten ausgedehnten Nachtschlafes akzeptierte ich jedoch auch die damit verbundenen Einschränkungen und habe mir nicht mehr Freiheiten genommen als die Mannschaft. Ich wollte keine Extrawurst, sondern habe mich als eine Art von Betreuer gesehen und der Gruppe gegenüber in der Verantwortung gefühlt.

Also habe ich nur dann das Hotel verlassen, wenn es allen erlaubt war. Auch sonst kletterte niemand heimlich über den Zaun, denn die Trainer räumten den Spielern in der Hoffnung oder in dem guten Glauben, dass sie alt und verständig genug seien, keinen Unsinn zu machen, möglichst viel persönlichen Freiraum ein. Sie gingen davon aus, dass die Spieler mit den wenigen Wochen in ihrem Leben, in denen sie eine Weltmeisterschaft im eigenen Lande erleben durften, verantwortlich umgehen würden. Außerdem gehörte es zu den Überzeugungen von Klinsmann und seinem Team, dass nur jemand, der sein Leben in Eigenverantwortung lebt, auch auf dem Platz wirklich Verantwortung übernimmt.

Sie durften also in den freien Stunden in die Stadt, nur wurden die Gelegenheiten dazu immer seltener. Mit berühmten Leuten auszugehen ist für mich eine Qual, aber auch für berühmte Leute selbst ist es so. Mit und für Fußballnationalspieler ist es besonders schlimm, wie ich schon beim Confederations Cup erlebt hatte. Damals war Ballack mit einigen anderen Spielern durch die Frankfurter Innenstadt spazieren gegangen. Als sie sich draußen in ein Café gesetzt hatten, gab es dort innerhalb kürzester Zeit einen Menschenauflauf.

Bei der Weltmeisterschaft war es noch schlimmer. Die Tokio-Hotel-mäßige Belagerung der Spieler vor dem Eingang des Hotels wuchs beständig. Anfangs standen dort vielleicht 10 oder 20 Leute, zum Schluss waren es Hunderte. Es mochte zwar lustig aussehen, wenn hysterische Teenager angesichts von Poldi und Schweini kreischend zusammengebrochen sind. Die Spieler sind damit auch ziemlich entspannt umgegangen, aber irgendwann sind sie dann doch nicht mehr so gerne rausgegangen. Dafür gab es erfolgreiche Versuche, unter dem Radar des öffentlichen Interesses wegzutauchen und sich ein wenig Freiraum zu verschaffen. Denn so gut im Hotel alles arrangiert war, mussten sie zwischendurch einfach mal raus. Zum Bowling gab es mehrere Ausflüge, weil einer der Spieler den Besitzer der Bahn kannte. Sie sind in mehreren Autos hingefahren, es gab dort einen Seiteneingang, wo sie unbemerkt reinkamen, und auch die Bahnen waren durch einen Vorhang abgetrennt. Also konnten die Spieler bowlen und nebenan hat es niemand gemerkt.

Die Code-Knacker
23. Juni 2006, Berlin

Siegenthaler hatte das Material so aufbereitet, dass man genau sehen konnte, wie die Schweden immer das Gleiche machten. Bei den Gruppenspielen während der Weltmeisterschaft, vor allem gegen England, hatten sie sich weit zurückfallen lassen, wenn die Angriffe der gegnerischen Mannschaft anrollten. Dadurch entstand 30 Meter vor dem Tor ein freier Raum, in den unsere Mannschaft im Achtelfinale nur spielen musste, um schon mal relativ nah am schwedischen Tor zu sein. Das jedenfalls vermutete Siegenthaler.

Vor der Weltmeisterschaft hatte er zusammen mit der Sporthochschule Köln ein Projekt gestartet, mithilfe dessen die anderen 31 WM-Teilnehmer analysiert werden sollten. 16 Sportstudenten des Dozenten Dr. Jürgen Buschmann kümmerten sich dabei um jeweils zwei Teams. Jeder

Student hat einen Ersatzmann, so dass für Siegenthaler stets ein Ansprechpartner zur Verfügung stand. Die Videoscouts in Köln lasen zunächst Spielmitschnitte ihrer Teams in Computer ein und schlüsselten sie dann mit einer Analyse-Software auf. So war es möglich, nicht nur sofort auf Szenen einzelner Spieler zuzugreifen, sondern die Partien in eine Fülle von Situationen zu zerlegen. Spielübergreifend konnte das Verhalten eines Teams bei Eckbällen betrachtet werden oder über welche Angriffsvarianten die Mannschaft verfügte. In Köln wurde das Material grob gefiltert, detailliert aufgearbeitet haben es Siegenthaler und sein Assistent Christopher Clemens. Sie haben dafür richtig viel Zeit aufgewendet, manchmal begegnete man ihnen am Morgen und sie hatten rote Augen, weil sie bis vier Uhr nachts an der Zusammenstellung der wichtigsten Szenen gearbeitet hatten.

Im Prinzip ging es darum, das gegnerische Spiel zu durchschauen. Wohin spielen sie, wohin spielen sie nicht? Sind sie mutig oder lassen sie sich ängstlich wie die Schweden weit zurückfallen? Dabei weiß man natürlich, dass die andere Seite genau das Gleiche versucht. Die deutsche Mannschaft hatte schließlich auch einen Code, den der Gegner zu knacken versuchte. So ist eine der entscheidenden Fragen, wessen Spiel sich im Laufe der 90 Minuten durchsetzt. Auch der Trainer von Costa Rica wusste, dass Philipp Lahm vor dem gegnerischen Tor meistens nach innen zieht, aber trotzdem hatte er auf diese Weise das erste Tor im Eröffnungsspiel schießen können.

Um den Code des Gegners zu knacken, haben Siegenthaler und sein Assistent zunächst das Material aufbereitet. Im Gespräch mit den Trainern, bei denen Bierhoff auch oft dabei war, wurde es analysiert und diskutiert, welche Schlüsse daraus zu ziehen sind. Nach und nach füllten sich auf diese Weise die Seiten der Flipchart. Dort wurde im Detail festgehalten, wer bei Eckbällen welchen gegnerischen Spieler zu bewachen hatte, aber auch ein paar Schlagwörter oder Merksätze für die taktische sowie die psychische Vorbereitung notiert. So fanden die Spieler in den Besprechungen die Demonstrationsvideos mit Begriffen wie »Effizienz« oder »Ohne Breite und Tiefe kein Spielaufbau« garniert, die als Zwischentitel eingeblendet wurden. Oder sie lasen später auf einem Zettel in der Kabine: »Eine mächtige Flamme entsteht aus einem winzigen Funken.«

Die Ergebnisse dieser Besprechungen des Trainerteams wurden der Mannschaft in verschiedenen Schritten vermittelt. Zunächst gab es zwei Tage vor einem Spiel die allgemeine Vorstellung des Gegners, bei der nach der Vorrunde der kulturelle Aspekt jedoch kaum noch eine Rolle spielte, weil für unsere Spieler die Schweden, Argentinier und Italiener keine Unbekannten waren. Diese erste Präsentation machte zumeist Siegenthaler, anschließend wurde in Besprechungen mit den unterschiedlichen Mannschaftsteilen die Feinarbeit gemacht. Diese Kleingruppengespräche haben meist Siegenthaler und Löw geführt, Klinsmann war jedoch auch ab und zu dabei. Dort saßen dann etwa die vier Abwehrspieler, die defensiven Mittelfeldleute und ihre Ersatzmänner zusammen, denen genau erklärt wurde, worauf sie sich einzustellen hatten. Ähnlich war es mit den Offensivspielern. Und sogar die Torhüter wurden mit speziellem Material versorgt, etwa einer DVD mit dem Verhalten des Gegners bei Eckbällen. Nachdem alle darauf vorbereitet waren, was sie erwartet, gab es im Hotel bzw. in der Kabine, direkt vor dem Spiel, die Ansprachen von Klinsmann, wo er an die wichtigsten Dinge erinnerte und die Mannschaft auf das Spiel einschwor. Man könnte sagen, dass Siegenthaler die Saat gelegt, Löw sie bewässert und Klinsmann geerntet hat.

Eskorten-Bashing
24. Juni 2006, München

Im Achtelfinale gegen Schweden sollten die Code-Knacker recht behalten. Der Gegner ließ die Räume wirklich offen, die Deutschen nutzten sie und spielten sich in der ersten Halbzeit in einen Rausch. Das hätte man auf der Fahrt ins Stadion noch nicht erwartet, denn die Nervosität war wieder einmal deutlich zu spüren. Wenn der Bus zum Spiel unterwegs war, wurde wenig gesprochen. Selbst Lukas Podolski, der nicht aus der Ruhe zu bringen ist und immer gerne plaudert, hielt sich zurück, um die anderen nicht zu stören. Man merkte, dass die Leute im Kopf bereits das Spiel durchgingen.

Unterwegs hatten wir eine kleine Polizeieskorte, die ich jedoch vergleichsweise enttäuschend fand. Ich war zweimal mit dem damaligen Bundeskanzler Schröder auf Staatsbesuch gewesen, weil er gerne Leute aus der Kultur mitnahm. In Polen sind wir am Flugzeug abgeholt worden, und als wir durch Warschau fuhren, waren für uns alle Straßen gesperrt. Rechts und links an den Kreuzungen standen Polizisten und hielten den Verkehr auf. So stauten sich die Autos auf der Gegenfahrbahn bis zum Horizont, während wir zum Parlament fuhren. So eine Sonderbehandlung gab es für die Nationalmannschaft nicht, für uns wurden keine Straßen abgesperrt. Unsere Eskorten bei der Weltmeisterschaft waren auch vergleichsweise bescheiden, sie bestanden bestenfalls aus zwei Polizeiautos, vielleicht ergänzt um einem Motorradfahrer. Und immer war es ein Thema im Bus, wie blöd sie sich anstellten.

Unser Busfahrer Wolfgang Hochfellner beklagte sich meistens darüber, dass sie zu langsam fuhren. Im Laufe der Fahrt meldeten sich dann die Spieler, die aus der Stadt kamen, und spotteten darüber, auf welchem Weg wir zum Stadion geleitet wurden. In Dortmund riefen Metzelder und Kehl: »Mensch, wo fahren wir denn her?« Ich selbst kann mich an den Confederations Cup erinnern, als uns die Eskorte zum Spiel gegen Tunesien in Köln auch auf einen völlig kuriosen und nicht nachvollziehbaren Umweg zum Stadion leitete. So war es schließlich die feste Überzeugung aller, dass man am Ende ohne Eskorte schneller da wäre.

Das Gemaule darüber war jedoch vor allem eine Form, die Nervosität zu bekämpfen. Man konnte die Uhr danach stellen, dass einer der Spieler oder der Trainer

über die Eskorte zu meckern begann. Irgendwie musste die Anspannung halt raus, und dazu war das
Eskorten-Bashing ideal. Alle stöhnten zeitgleich auf,
als wir trotz Blaulicht an einer roten Ampel anhalten
mussten, obwohl von rechts und links niemand kam.
So war die Eskorte immer ein Thema, nur in Berlin
hatten wir keine Gelegenheit dazu. Die waren richtig
gut, aber sie hatten in der Hauptstadt mit den vielen
Staatsgästen wohl auch mehr Erfahrung.

Entscheidend für den Sieg und die gute Leistung
gegen Schweden war aber weder die gute taktische
Vorbereitung allein, noch das nervenberuhigende
Gemaule über die Eskorte, sondern die Geduld des
Trainers mit Lukas Podolski. Der hatte in den ersten
beiden Spielen nicht nur große Chancen vergeben
und kein Tor erzielt, auf mich wirkte er auch wie ein
Fremdkörper im Team. Seine Laufwege hatten ihn
weitab des Spiels geführt, und gegen Ecuador war das
in der dritten Partie zunächst nicht anders. Ich hätte
mich nicht gewundert, wenn Klinsmann ihn zur Pause
rausgenommen hätte, zumal Oliver Neuville gegen
Polen gezeigt hatte, dass er für ein Tor gut war.

Während Podolski gegen Ecuador weiterhin wenig
gelang, spielte sein Sturmpartner Klose leichtfüßig
und erzielte bereits das vierte Tor bei der WM. Poldi
hatte noch keines gemacht. Ich dachte, dass ihn das
erdrücken würde. Immerhin war er gerade mal 21
Jahre alt geworden, und beim Absteiger 1. FC Köln
hatte er auch nicht gerade eine tolle Saison hinter sich.

Trotzdem war Podolski eigentlich genauso locker auf-
getreten, wie ich ihn schon beim Confederations Cup
erlebt hatte, obwohl er die Bedeutung der Weltmeisterschaft gespürt haben musste. Schließlich wurde sie
den Spielern zwei Jahre lang von allen Seiten einge-
hämmert.

Zum Glück hörte Joachim Löw nicht auf mich

Vor dem dritten Tor gegen Ecuador lief Schneider über
die rechte Seite, und ich wusste, dass er den Ball genau
dahin spielen würde, wo er ihn hinhaben wollte. Und
ich war mir sicher, dass Podolski, der aus dem Mittelfeld heranrauschte, ihn nicht reinhauen würde – und
dann war er auch schon drin. Klinsmann hatte recht
damit, dass er ihn so lange gestützt hatte, und ich hatte
unrecht. Gegen Schweden wurde der Bundestrainer

für sein Vertrauen dann richtig belohnt. Podolski schoss beide Tore zum 2:0-Sieg, und die Mannschaft insgesamt spielte in der ersten Halbzeit so gut, dass Klinsmann hinterher sagte, dass die ersten 30 Minuten die beste halbe Stunde gewesen wären, die eine deutsche Nationalmannschaft jemals gespielt hätte.

Nicht nur die Begeisterung in Deutschland nahm inzwischen hysterische Züge an, auch der Rest der Welt war nun ernsthaft beeindruckt. Selbst die Kommentatoren aus England, Italien oder Spanien, die der deutschen Mannschaft gegenüber oft einen spöttischen Ton pflegen, anerkannten nicht nur den Erfolg an sich, sondern auch die Art und Weise, wie er herausgespielt worden war. Stellvertretend dafür stand der Kommentar der französischen Sportzeitung *L'Equipe*, die schrieb: »Jetzt machen sie Angst.«
So sollte es auch sein.

Wir sind ein Team hinter dem Team
26. Juni, Berlin

Als das Projekt des Films beim Confederations Cup 2005 anfing, war das sogenannte »Team hinter dem Team« für mich die größte Überraschung gewesen. Gemeint sind damit alle, die hinter den Kulissen arbeiten, ob im sportlichen Bereich die Physiotherapeuten oder Zeugwarte, oder die Organisatoren im Büro Nationalmannschaft mit Übersetzer, Attaché sowie die Presseabteilung. Ich hatte erwartet, dass diese Leute meinem Bild vom DFB als einer eher konservativen Organisation entsprechen würden. Was ich dann vorfand, war jedoch das schiere Gegenteil. Im Umfeld des Teams herrschte eine eher linksliberale Stimmung, womit für mich erwiesen war, dass beim Marsch durch die Institutionen offenbar nicht einmal der DFB verschont geblieben war.

Viele lesen das Fußballmagazin *11 Freunde* und waren nicht nur an Sieg oder Niederlage interessiert, sondern begriffen Fußball als Kultur. Auch waren sie nicht etwa alle Fans der Großklubs, aus denen die Nationalspieler kamen, sondern Anhänger von Alemannia Aachen, dem FC St. Pauli oder dem VfL Bochum. Es kamen um die Nationalmannschaft Leute zusammen, bei denen ich mich schon vor der Weltmeisterschaft gefreut hatte, wenn ich mit ihnen bei einem Länderspiel wieder Zeit verbringen konnte.

DFB-Pressesprecher Harald Stenger war mir schon von der Europameisterschaft in Portugal ein Begriff gewesen, weil er bereits damals die Pressekonferenzen moderiert hatte, die live im Fernsehen übertragen wurden. Auch bei der Weltmeisterschaft strahlte er wieder eine Mischung aus Kompetenz und Gemütlichkeit aus. Stenger ist kein Technokrat oder Bürokrat, sondern liebt seine Arbeit, und er liebt den Fußball. Sein Kollege Uli Voigt, der für die Betreuung der elektronischen Medien zuständig war, fing beim Confederations Cup mit mir an. Er kam von RTL, und mit seiner nonchalanten Art und seinem stets exzellenten Humor hat er während der Weltmeisterschaft auf dem nicht einfachen Feld zwischen den Spielern und den Medien vermittelt.

Bei den beiden Medienarbeitern konnte ich die fachliche Kompetenz beurteilen, wo mir das nicht möglich war, spürte ich zumindest immer Herzlichkeit, Hilfsbereitschaft und ein Höchstmaß an sozialer Kompetenz. Das galt auch für die prominenten Mitglieder unter den Betreuern, wie etwa Hans-Wilhelm Müller-Wohlfahrt, den ich vorher nur als den Sportarzt kannte, der bei Spielen des FC Bayern mit wehenden Haaren auf den Platz rennt. Mit welcher Menschlichkeit und Liebe er seinem Beruf nachgeht, habe ich erst während der Weltmeisterschaft realisiert.

So machte es selbst mir als Einzelgänger im Kreis der Nationalmannschaft viel Spaß, zumal ich das Gefühl hatte, dass es kein Gefälle zwischen den Spielern, den Physiotherapeuten oder Fitnesstrainern und den Leuten vom Organisationsbüro gab. Gegenseitige Akzeptanz hat die Gesamtatmosphäre geprägt, jeder hat den anderen als Fachmann ernst genommen. Bei Klinsmann und Bierhoff war das Bemühen deutlich, einen Ton setzen zu wollen, der viel mit gegenseitigem Respekt zu tun hatte. So gab es Sitzungen mit den Betreuern, in denen sie ausdrücklich appellierten, selbständig auf die Spieler einzugehen, wenn es irgendwie schlechte Stimmungen gab. Außerdem sollten sie den Mut haben, Grenzen zu ziehen und auf diese Weise auch Respekt für die eigene Arbeit einzufordern. Sie sollten nicht die Lakaien der Spieler sein, ganz im Gegenteil. Der so eifrig propagierte Teamgedanke betraf also nicht nur die 23 Spieler, sondern die ganze Gruppe.

Das drückte sich auch in Kleinigkeiten aus. Wenn der Bus irgendwo angekommen war, wurde der Fahrer von den Spielern für seine Fahrt gelobt: »Hey Wolle, super gefahren!« Das passierte natürlich mit einem Augenzwinkern, war aber trotzdem nett. Es war sein Beitrag, die Mannschaft unfallfrei vom Hotel ins Stadion zu fahren, dafür gab's ein Lob. Vor allem jetzt, wo wir mit Wolle auf die entscheidenden Etappen unserer Reise gingen.

Die Großen kommen
28. Juni 2006, Berlin

Vor dem Viertelfinale war Argentinien für die meisten Fachleute zum großen Favoriten auf den Gewinn der Weltmeisterschaft aufgestiegen. Brasilien mit seinen übergewichtigen Stars hingegen wirkte nicht mehr wie ein ernsthafter Kandidat auf den Titelgewinn, während ihr Viertelfinalgegner Frankreich bei seinem 3:1-Sieg über die zuvor so starken Spanier einen guten Eindruck hinterlassen hatte. Die bislang schwachen Engländer sollten auf die starken Portugiesen treffen, und die bislang noch nicht richtig einzuschätzenden Italiener auf Außenseiter Ukraine.

Trotz des knappen 2:1-Achtelfinalsieges in der Verlängerung über Mexiko wirkten die Argentinier in der Runde der letzten Acht am stärksten. In den ersten beiden Spielen der Vorrunde hatten sie gegen die Elfenbeinküste und vor allem beim 6:0-Sieg über Serbien & Montenegro großartig gespielt. Vor dem 2:0 durch Cambiasso hatten die Argentinier den Ball über 25 Stationen laufen lassen, und es sah so aus, als ob ihr Spielmacher Riquelme der große Star des Turniers würde. Ich fand inzwischen auch, dass Argentinien die beste Mannschaft war, und hatte mich daher auch ein wenig gewundert, dass es bei uns keine Überlegungen gegeben hatte, ihnen aus dem Weg zu gehen, indem man versucht, nicht Gruppenerster zu werden. Aber darüber war kein Wort verloren worden. Als wir nach dem Sieg über Schweden zurück ins Hotel nach Berlin gekommen waren, konnten wir noch die zweite Halbzeit vom Achtelfinale zwischen Argentinien und Mexiko sehen. Ich hatte eigentlich damit gerechnet, dass alle die Daumen für Mexiko drücken, um es im Viertelfinale leichter zu haben, aber Spieler und Trainer waren völlig gelassen. Es war ihnen offenbar völlig egal, wer gewinnt. Natürlich fanden sie, dass Argentinien die bessere Mannschaft als Mexiko war, aber zugleich wollten sie endlich mal einen Großen erlegen. Dieses Gerede sollte endlich ein Ende haben, dass Deutschland seit dem Oktober 2000 nicht mehr gegen eine der traditionellen Fußballmächte gewonnen hatte. Damals hatte Didi Hamann beim letzten Spiel im alten Wembley-Stadion den Siegtreffer über England erzielt.

Als feststand, dass es gegen Argentinien gehen würde, brachte Miroslav Klose bei einer Pressekonferenz die Stimmung auf den Punkt. Die seien zwar gut, sagte er, hätten aber das Pech, gegen uns spielen zu müssen.

Das hörte sich wie ein frecher Spruch an, aber er meinte es völlig ernst. Die ganze Mannschaft war einfach überzeugt davon, dass sie gewinnen würde. Ich habe mich gerne von dieser Zuversicht anstecken lassen und es auch geglaubt.

Während der Vorbereitung auf das Spiel wurde immer wieder darauf hingewiesen, dass die Argentinier sehr ballsicher seien und ziemlich lange den Ball hin und her spielen würden. »Das kann auch langweilig sein«, sagte Löw, aber gefährlich war es dennoch. Auf einer der Flipcharts im Besprechungsraum war zu lesen:

1. Pass ins MF
2. Querpass
3. Zurück ins Zentrum
4. Steil auf die Spitzen

Diese Abfolge hatten die Code-Knacker bei den Argentiniern ausgemacht und konnten sie mit vielen Videobeispielen belegen. Dass es nicht plötzlich ein ganz anderes Spiel geben würde, bestätigten jene DFB-Trainer, die das Training der Argentinier angeschaut hatten, wo unaufhörlich an diesem Quer-Tief-Spiel gearbeitet wurde. Während sich die Defensive also auf dieses Muster einstellen musste, sollte in der Offensive ständig der Weg über außen gesucht werden. Die argentinische Abwehrkette, das war auf den Videos zu sehen, zog sich in der Mitte des Spielfeldes ganz eng zusammen. Die Außenverteidiger rückten extrem weit nach innen ein, teilweise sogar bis über die Mitte hinaus. So traten die Argentinier in Ballnähe zwar massiv auf, aber außen ergaben sich dadurch Räume.

Linksverteidiger Juan Pablo Sorin wurde in einem der Videos als »Der Unberechenbare« vorgestellt. Die Trainer waren der Meinung, dass auf seiner Seite die Schwächen der Argentinier lägen, obwohl Sorin im Spiel nach vorne überragend war. Aber er ließ hinten Lücken, so wie Bozsik im Finale 1954 gegen Deutschland. Also wurde darauf hingearbeitet, dass die deutsche Mannschaft links und rechts im vorderen Viertel des Spielfelds ihre Chance zum Flanken suchte, und genauso sollte es bei unserem Ausgleichstreffer kommen. Die Flanke von Ballack (allerdings nicht auf der Seite von Sorin) verlängerte Borowski und Klose traf. Außerdem hieß es, die Argentinier würden es nicht mögen, wenn bei der Ballannahme immer schon jemand da ist. Es war die Absicht, sie auf diese Weise zu frustrieren. Zugleich wurden unsere Spieler vorgewarnt, dass die Argentinier oft nach gut einer Stunde des Spiels unangenehm würden, wenn es nicht läuft. Das erwies sich jedoch als Fehleinschätzung: Unangenehm wurde es erst nach Spielende.

Zettels Traum
30. Juni 2006, Berlin

Obwohl ich am Spielfeldrand gestanden hatte, erfuhr ich erst am
nächsten Morgen aus dem Fernsehen, dass Jens Lehmann beim Elfmeterschießen einen Spickzettel
gehabt hatte. In der Kabine war das
kein Thema gewesen, vermutlich
hatte es auch kaum einer der Spieler
mitbekommen. Geredet wurde darüber jedenfalls nicht, und Lehmann
hatte auch nicht triumphierend den
Zettel hochgehalten.

Während der Vorbereitung aufs Elfmeterschießen war ich scheuer als
sonst gewesen, weil ich die Konzentration nicht stören wollte. Bei
einem WM-Viertelfinale, vor dem
Elfmeterschießen gegen Argentinien, wollte ich ein bisschen weiter
wegbleiben als sonst. Die deutsche
Mannschaft war in dem Moment
wichtiger als der Film über die deutsche Mannschaft, und ich wollte

nicht mal den Anflug des Gedankens aufkommen lassen, dass sie rausgeflogen sind, weil ich störend herumgerannt war.

In den Arm nehmen und Daumen drücken

Daher sah ich auch nur auf der Stadionleinwand, wie Kahn zu Lehmann ging, um ihn zu ermutigen. Es war ein sehr bewegender Moment, das haben die Zuschauer im Stadion zu Recht so empfunden, aber ich fand ihn später auch etwas überbewertet. Allerdings war das Verhalten von Kahn die ganzen Wochen über wirklich sehr respektabel gewesen, obwohl es ihm bestimmt schwer fiel. Er war jahrelang die Nummer eins im deutschen Tor gewesen, und hatte vier Jahre lang auf die WM im eigenen Land hingearbeitet. Sie sollte der letzte Höhepunkt seiner Karriere sein, und wahrscheinlich sollte sie auch den Eindruck von der letzten Weltmeisterschaft korrigieren, als Kahn zwar überragend gehalten, aber im Finale gegen Brasilien den entscheidenden Ball hatte fallen lassen. Das Muster des Comebacks hatte es in seiner sportlichen

Karriere schließlich schon häufiger gegeben. Als 1999 das Finale der Champions League gegen Manchester United verloren ging, gewannen die Bayern zwei Jahre später das Endspiel gegen den FC Valencia im Elfmeterschießen, weil Kahn den entscheidenden Ball hielt. Das war ihm nun nicht möglich, etwa beim Elfmeterschießen gegen Argentinien, und dennoch hatte Kahn die ganze Zeit über nicht die Mundwinkel hängen gelassen und Frustration ausgedünstet.

Dabei war es für ihn zweifellos ein traumatischer Moment gewesen, als ihm zwei Monate vor Turnierbeginn gesagt wurde, dass Lehmann die neue Nummer eins sei. Köpke hatte mir erzählt, dass die Entscheidung zwischen den beiden hauchdünn ausgefallen war. Bis drei Uhr nachts hatte das Trainerteam diskutiert, nachdem in den Tagen zuvor die Vereinsführung des FC Bayern viel öffentlichen Druck gemacht hatte, um eine Entscheidung in der damals noch offengehaltenen Torwartfrage zu erzwingen. Sie waren ein Dutzend Kriterien durchgegangen und hatten sich schließlich für Lehmann entschieden. Nach einigen Tagen des Überlegens hatte Kahn dann bekanntgegeben, sich der Entscheidung zu beugen und als Nummer zwei zu bleiben. Das wurde teilweise so kommentiert, als hätte er nur deshalb so entschieden, um seine Werbeverträge nicht platzen zu lassen. Als ich ihn danach fragte, hat er nur müde gelächelt und gesagt, dass er fast zwanzig Jahre lang Profi sei und wirklich genug Geld verdient hätte, um auf ein paar Werbeverträge verzichten zu können.

Während des Turniers waren die beiden Torhüter distanziert aber professionell miteinander umgegangen. Kahn sagte, dass sie beide nicht der Typ seien, der in einer solchen Situation Freundschaft schließt. Lehman sagte, dass sie sich aus dem Weg gehen würden. So war es für Kahn wirklich etwas Besonderes, vor dem Elfmeterschießen zu Lehmann zu gehen. »Das sind Momente, wo man über seinen eigenen Schatten springen muss«, sagte er, »aber es war gar nicht so schwierig für mich, ihm das Glück zu wünschen, das man für ein Elfmeterschießen braucht.«

Vor dem Spiel hatte Klinsmann in der Kabine die bislang mitreißendste Ansprache während des Turniers gehalten. Er war hin und her gelaufen und teilweise ganz nah an die Leute herangegangen. Seit er Trainer war, hatte es schon zwei Spiele gegen Argentinien gegeben, die beide remis ausgegangen waren. »Aber wir sind mit dem Confed-Cup nicht zu vergleichen, das ist inzwischen ein ganz anderes Niveau«, rief er. Dann zeigte er auf Michael Ballack, der in beiden Spielen gegen die Argentinier nicht hatte mitspielen können. »Und den Capitano, den kennen sie noch nicht!«

Das stimmte alles, aber es beruhigte mich nicht. Während des Spiels war meine Einschätzung bezüglich seines Ausgangs dementsprechend mehrfach umgeschwenkt. Erst hatte ich gedacht, dass sich zwei sehr gute Mannschaften auf hohem Niveau gegenseitig neutralisieren würden, und im Laufe der ersten

Halbzeit ging ich davon aus, dass es nach 90 Minuten noch 0:0 stehen würde. Dann aber fiel vier Minuten nach der Pause der Führungstreffer für Argentinien, und mir kam zweierlei in den Sinn. Zunächst dachte ich: Das kann's jetzt irgendwie nicht gewesen sein, das 0:1 ist ein zu blödes Ergebnis, um damit auszuscheiden. Zugleich habe ich mich aber ein bisschen zurückgelehnt und versucht, mir die Sache schönzureden: Ich kann nach Hause und meine Kinder wieder sehen, schließlich war ich lange genug weg. Wie groß sie wohl geworden waren?

Natürlich wollte ich, dass es noch weitergeht, aber ich präparierte mich schon mal fürs Ausscheiden. Doch als der argentinische Trainer José Pekerman knapp 20 Minuten vor Schluss Riquelme rausnahm, habe nicht nur ich mich gewundert. Ich saß neben dem Mannschaftsarzt Tim Meyer, und der fragte mich: »Warum geht der jetzt?« Ich saß auf der Bank immer ziemlich in der Mitte, rechts von mir waren ein paar Betreuer, dann Köpke, Löw und Klinsmann, links von mir saßen relativ nah die Ersatzspieler. Also schaute ich einmal rechts und einmal links die Bank entlang, aber niemand sagte was, obwohl sich wahrscheinlich alle diese Frage stellten. Selbst wenn Riquelme nicht so toll wie erwartet gespielt hatte, war seine Auswechselung ein deutliches Signal: Die Argentinier wollten den Vorsprung über die Zeit bringen.

Das dürften auch die deutschen Spieler auf dem Platz so verstanden und Klinsmann innerlich gejubelt haben. Er hatte das schon vor dem Spiel in der Kabine lauthals getan, als er die Aufstellung der Argentinier bekommen hatte. Pekerman setzte auf eine defensivere Mannschaft als in den Spielen zuvor, und Klinsmann sagte: »Ich habe es euch doch gesagt, die haben Muffe vor euch, die haben Angst, und deshalb kommen die mit so einer defensiven Mannschaft. Heute entscheiden wir, wer weiterkommt.« Es hat ihn richtig gefreut, welchen Respekt die Argentinier vor uns hatten.

Ob der argentinische Rückwärtsgang wirklich spielentscheidend war, wird man noch viele Jahre diskutieren können. Für mich fiel Kloses Ausgleichstreffer nämlich so überraschend, wie die Argentinier zuvor in Führung gegangen waren. Doch in diesem Moment war ich wieder fest überzeugt, dass wir nicht mehr ausscheiden würden und meine Kinder noch ein paar Tage länger ohne mich würden wachsen müssen.

Jens Lehmann erzählte mir am Tag nach dem Spiel vom Elfmeterschießen und dass er nicht auf den ersten Elfmeter gehen würde, sondern erst auf den zweiten oder dritten. Das erschien mir zunächst etwas seltsam, weil ein Stürmer auch nicht sagt, die erste Torchance mache ich nicht rein, sondern gehe auf die zweite oder dritte. Aber dann konnte ich mich daran erinnern, dass ich früher in der Schulmannschaft beim Elfmeterschießen oft ins Tor gegangen war und komischerweise der erste Elfmeter wirklich meistens drin war. Lehmann erzählte mir auch, dass er manchmal nicht auf den Trainer hören und nach Instinkt handeln würde, um mir dann den nun schon legendären Zettel zu zeigen. Es war einer, wie wir ihn im Hotel auf dem Zimmer liegen hatten, um beim Telefonieren eine kurze Notiz aufzuschreiben. Oben war der Schriftzug des Schlosshotels Grunewald, darunter stand:

~~1. Riquelme~~		links hoch /
~~2. Crespo~~		langer Anlauf / rechts
		kurzer Anlauf / links
3. Heinze	6	links flach
4. Ayala	2	lange warten, langer
		Anl. rechts
~~5. Messi~~		links
6. Aimar	16	lange warten links
7. Rodriguez	18	links

Die ersten beiden Namen hatte Torwarttrainer Andreas Köpke durchgestrichen, weil sie bereits ausgewechselt worden waren, und Messi war nicht eingewechselt worden. Gabriel Heinze mit der Rückennummer 6 und Pablo Aimar mit der 18 traten nicht zum Elfmeterschießen an, und als Lehmann vor dem ersten Elfmeter auf den Zettel schaute, fand er den Schützen nicht. Zu Julio Cruz gab es dort keine Information. Der Stürmer von Inter Mailand verwandelte, obwohl Lehmann in die richtige Ecke sprang. Beim zweiten Schützen jedoch war die Information entscheidend. Roberto Ayala nahm wirklich einen langen Anlauf und Lehmann blieb der Anweisung folgend lange stehen, der Argentinier schoss nach rechts und Lehmann hielt. Auch beim dritten Schützen stimmte die Angabe, aber Maxi Rodriguez schoss so scharf ins untere linke Eck, dass Lehmann den Ball nicht mehr rechtzeitig erreichte.

Vor dem vierten Ball schaute er dann nochmal auf den Zettel. Tim Borowski hatte gerade den vierten Elfmeter für Deutschland verwandelt, der Spielstand war 5:3. Noch ein parierter Ball und Deutschland wäre im Halbfinale. Aber Lehmann fand auf seinem Zettel keinen Hinweis mehr, wohin Cambiasso schießen würde. Das Stück Papier entfaltete seine Wirkung dennoch, denn Lehmann schaute lange darauf. Köpke hatte mit Bleistift geschrieben, der Zettel war zerknittert und die Schrift kaum zu lesen.

War auf den Trick mit dem Zettel vorher noch niemand gekommen? War es überhaupt ein Trick? Oder wirkte er zufällig? Wenn ich mir vorstelle, dass ich als Stürmer aus Argentinien zum entscheidenden Elfmeter antreten würde und der Torwart der Heimmannschaft vorher auf einen Zettel in seiner Hand schaut, mich hätte das unglaublich irritiert, und ich hätte mich gefragt: Was wissen die?

Sie wussten nichts.
Lehmann hielt.

DJ Klinsi
1. Juli 2006, Berlin

Nach dem Sieg über Argentinien hatte es im Mannschaftshotel eine Feier gegeben, zu der auch die Familien eingeladen waren. Es kamen sogar Spieler vorbei, die nicht zum Kader gehörten, Patrick Owomoyela und Sebastian Deisler mit seiner Frau. Es war aber keine rauschende Party, sondern eher ein entspanntes Barbecue, wie es das schon nach dem Spiel gegen Ecuador gegeben hatte, nachdem die Vorrunde geschafft war. Klinsmann bat die Spieler zuvor bei einer kleinen Besprechung noch, möglichst maßvoll zu feiern. »Wir haben mal einen Titel versoffen«, sagte er mahnend. Vor dem Halbfinale der Europameisterschaft 1988 hätten sie so viel gefeiert, dass sie anschließend gegen Holland verloren.

Ich hatte noch nie davon gehört, Klinsmann führte es auch nicht weiter aus, aber bei der Klasse von 2006 blieb selbst nach dem größten Erfolg der letzten vier Jahre alles im Rahmen. Obwohl also moderat gefeiert wurde, war ich am nächsten Morgen immer noch so aufgewühlt, dass ich schon um sechs Uhr aufgestanden und als Einziger durch das Hotel und draußen allein durch die Straßen gelaufen bin. Erst da ist mir so richtig klar geworden, was ich erlebt hatte.

Die Spieler hatten sich zumindest in einer Hinsicht nach dem Viertelfinale anders verhalten als nach den vorangegangenen Spielen. Endlich waren sie in der Kabine mal ein bisschen aus sich herausgegangen und hatten gesungen. Es war, warum auch immer, »Viva Colonia«. Wir spielten nicht in Köln, wir würden nicht in Köln spielen, und der Kölner Lukas Podolski war nicht der Held des Abends gewesen, sondern der Essener Jens Lehmann. Für mich gehören Fußball und Singen zusammen, und bei den Franzosen hatte ich gesehen, dass sie während der Weltmeisterschaft 1998 nach jedem Spiel auf den Bänken gestanden und gesungen hatten. Doch so sehr ich unsere Mannschaft auch mochte, musikalisch waren wir einfach nicht richtig auf der Höhe.

Durch seine Besetzung des WM-Kaders hatte Jürgen Klinsmann nämlich einen Kollateralschaden produziert, den niemand bedacht hatte: Er hatte das Musikprogramm gekippt. Seit dem Confederations Cup waren Kevin Kuranyi und Patrick Owomoyela ganz klar die Führungskräfte der Nationalmannschaft in

Sachen Musik gewesen. Ein bisschen gehörten auch der verletzte Sebastian Deisler und der nicht nominierte Thomas Brdaric dazu, aber im Bus hatten wir bei fast jeder Fahrt Kevin-Kuranyi-Musik gehört. Offenbar hatten er und Owomoyela am Computer immer wieder neue Mixe zusammengestellt und auf CD gebrannt, die sie vor den Fahrten dem Busfahrer gaben.

Dadurch ergab sich ein kleines Generationsproblem, das mich daran erinnerte, als meine Eltern mich früher gefragt haben, was für ein Zeug ich da eigentlich hören würde und ob das überhaupt Musik wäre. Deep Purple und so. Bei Kuranyi war es viel HipHop und R&B. Einer der von ihm bevorzugten Künstler hieß DJ Passion, dessen Namen ich vorher nicht kannte, aber wohl nie mehr vergessen werde. Hinten im Bus wurde gerufen, dass der Busfahrer Wolfgang doch lauter machen sollte, während vorne Köpke, Bierhoff, Klinsmann, Löw und ich uns nur anguckten und den Kopf schüttelten. Wir wollten es lieber leiser. Waren Kuranyi und die anderen von der Musikfraktion etwa wegen ihrer Musikauswahl nicht in den WM-Kader berufen worden?

Ohne sie gab es jedenfalls musikalisch keinen Plan mehr. Ich kann mich sogar daran erinnern, dass wir in München mal vom Flughafen zum Hotel fuhren und im Radio Bayern 3 hörten. Das entstandene Vakuum nutzte Klinsmann jedoch von Beginn an geschickt dazu, in der Kabine Xavier Naidoo zu platzieren. Wir

hatten dort Boxen stehen, in die man einen iPod ein-
klinken konnte, und ich habe gesehen, wie DJ Klinsi
ihn das erste Mal in Freiburg, vor dem Länderspiel
gegen Luxemburg, selbst einschaltete. Er startete
»Dieser Weg« von Xavier Naidoo und machte lauter.
Weil er das noch einige Male machte, wurde dieser
Song zu unserem Soundtrack der Weltmeisterschaft.
Und es war Klinsmann, der ganz offensichtlich wollte,
dass er unser Lied wurde.

Irgendwann war Gerald Asamoah für die Musik in der
Kabine zuständig, Beim Umziehen ließ er nur leise
Musikuntermalung laufen, aber in vorauseilendem
Gehorsam hat DJ Asa kurz vor dem Rausgehen
»Dieser Weg« und »Was wir alleine nicht schaffen«
von Xavier Naidoo relativ laut gespielt. Weil ich es
jedoch so schön fand, dass sie nach dem Argentinien-
Spiel »Viva Colonia« gesungen hatten, habe ich dann
zusammen mit Uli Voigt dafür gesorgt, dass eine CD
in Umlauf kam, wo Lieder zum Mitsingen drauf
waren: »Marmor, Stein und Eisen bricht«, »Die Hände
zum Himmel«. Vielleicht könnten wir die ja mal
gebrauchen.

Viererbande
2. Juli 2006, Berlin

Bei der Vorbereitung auf das Spiel gegen Italien erzählte Joachim Löw im Kreis der Trainer, dass er früher als Stürmer des SC Freiburg seine Tore immer auf die gleiche Weise erzielt hätte. Als Schlenzer ins obere rechte Eck. Aber warum, spottete Klinsmann sofort, könne man im Archiv des Südwestfunks keines seiner angeblich 493 Tore in vermeintlich 768 Spielen für die Badener mehr finden? Das war eine unter Fußballspielern typische Frotzelei, auf die man von der Kreisklasse bis zur Nationalmannschaft trifft, wo Männer auf diese Art miteinander reden. Sprücheklopfen und Schlagfertigkeit sind je nach Ton Ausdruck von Antipathie – wenn auch witzig verhüllt – oder sie sind Freundschaftsbekundungen, die man lieber ironisch als offen bezeugt. Löw und Klinsmann haben sich oft spöttisch die Bälle hin- und hergespielt, aber in einem so warmen Ton, dass immer auch Freundschaft mitschwang, und Ähnliches galt für das Verhältnis zu Bierhoff und Köpke.

Die Basis zwischen Klinsmann und Löw war zunächst die gemeinsame Arbeit. Kennengelernt hatten sie sich während des umstrittenen Sonder-Trainerlehrgangs, den Berti Vogts noch als Bundestrainer angeregt hatte. Dort wurde verdienten Nationalspielern ein verkürzter Weg zum Trainerschein eröffnet, und neben Klinsmann nahmen damals auch Matthias Sammer, Jürgen Kohler, Stefan Kuntz oder Stefan Reuter teil. Löw war in dem Kurs gelandet, obwohl er nie in der Nationalmannschaft gespielt hatte. Doch als Trainer hatte er damals beim VfB Stuttgart oder Fenerbahçe Istanbul schon internationale Berufserfahrung gesammelt, seinen Trainerschein jedoch in der Schweiz gemacht, und dieser wurde in Deutschland nicht anerkannt.

Klinsmann kann man in der Nationalmannschaft nicht ohne Löw betrachten und umgekehrt. Löw war mehr als ein Assistenztrainer, weil er nicht nur große fachliche Autorität ausstrahlte, sondern auch die Fähigkeit mitbrachte, Fußball erklären zu können. Klinsmann hatte mir anfangs auf die Frage, warum er sich für Löw entschieden hätte, gesagt, dass kein anderer die Viererkette so gut erklären könne. Das Beispiel mit der Viererkette sollte ein Beispiel für seine große fachliche Autorität als Fußballlehrer sein.

Ich habe Löw daraufhin gefragt, wie eine Viererkette spielt, weil ich noch im Fußball mit Manndeckern und Libero aufgewachsen bin. Ich habe ihn also quasi getestet, und er hat es tatsächlich geschafft, auch mir die Viererkette in schlichten und klaren Worten zu erklären.

Mein Nebenmann im Bus, Andreas Köpke, war bei besagtem Trainerlehrgang auch dabei gewesen. Vor allem aber kannte er Klinsmann und Bierhoff, weil er mit ihnen zusammen in der Nationalmannschaft gespielt hatte. 1996 in England waren sie zusammen Europameister geworden. Köpke war damals Stammtorwart, Klinsmann war im Sturm gesetzt, und alle drei zusammen standen im Finale gegen Tschechien auf dem Platz, nachdem auch Bierhoff eingewechselt wurde, erst den Ausgleich erzielte und dann mit seinem Golden Goal in der Verlängerung für den Sieg sorgte. Köpke ist übrigens das in der Öffentlichkeit am meisten zu Unrecht unterschätzte Mitglied der Viererbande, denn er ist ein äußerst intelligenter Zeitgenosse mit gutem Humor und brachte viel Gelassenheit in die kleine Gruppe. Bierhoff hingegen war als Manager so etwas wie ihr Außenminister und durch seine Position auch mein Hauptansprechpartner.

Beim Confederations Cup hatte ich mit den Spielern einen Fernsehspot gegen Gewalt im Stadion gedreht. Bierhoff hatte damals am Konzept mitgefeilt, insofern war der berufliche Kontakt schon damals näher als zu den anderen. Zu Beginn war er mir noch recht vorsichtig vorgekommen. Die Idee des Spots war, die Kampfkultur des Fußballs anzusprechen, indem die Spieler sagten, dass man grätschen und richtig in die Zweikämpfe gehen müsse. Dann sagte Ballack am Schluss: »Wir schlagen unsere Gegner auf dem Platz und nicht auf der Tribüne.« Ich hätte den Spot gerne noch ein bisschen frecher gehabt, indem wir zwischendurch einen der Spieler sagen lassen: »Es gibt keine Kleinen mehr – außer Holland.« Aber das ging Bierhoff zu weit, er wollte die deutsch-holländische Rivalität nicht noch mehr anstacheln.

Spaß mit Oliver Bierhoff, auch ohne über Holland zu spotten

Mein erster Eindruck war daher, dass er es zu vielen recht machen wollte. Dieser Eindruck verflog jedoch im Laufe der Zeit. Vor und während der Weltmeisterschaft gewann er deutlich an Statur, als er Klinsmann viele Diskussionen mit dem DFB ersparte. Bierhoff musste nämlich viel Überzeugungsarbeit leisten, zur Vorbereitung nicht in eine Sportschule zu fahren, sondern nach Sardinien und nach Genf. Es sahen auch nicht alle Funktionäre ein, dass in einem angemieteten Hotel auch noch die Inneneinrichtung verändert werden musste. Überhaupt war das Projekt 2006 nicht billig, mit all den Spezialisten in allen Bereichen. Aber Bierhoff setzte die Wünsche durch und moderierte, wenn Klinsmann etwas zu undiplomatisch vorgegangen war.

Man hätte meinen können, dass die vier während der Weltmeisterschaft vor allem durch den äußeren Druck zusammengeschweißt wurden. Immerhin standen Millionen auf der Straße und drehten durch. Sie hatten das Ziel ausgegeben, Weltmeister werden zu wollen, und sie hätten sich durchaus historisch blamieren können. Dennoch wirkten sie auf mich eher gelassen und fast altersweise. Das mochte damit zu tun haben, dass es spätestens nach dem Sieg über Polen sportlich gut lief. Daher wurde der Druck nie so groß, dass sie richtig nervös werden mussten. Sie brachten aber auch eine Haltung mit, die ich aus eigener Erfahrung kannte: So sehr man sich auch bemüht, man hat nicht alles in der Hand. Manchmal geht das Schicksal seltsame Wege. So habe ich gute Filme gemacht, die erfolgreich waren, und gute, die nicht erfolgreich waren. Ich hab schlechte Filme gemacht, die erfolglos waren, aber auch schlechte, die Erfolg hatten.

Im Fußball hat man mit noch mehr Dingen als beim Film zu tun, die nicht zu beeinflussen sind. Gegen Schweden war zum Beispiel ein Schiedsrichter auf dem Platz gewesen, bei dem die Gelben Karten sehr locker saßen. Was wäre passiert, wenn nicht die Schweden, sondern wir im Achtelfinale in Unterzahl geraten wären? Was, wenn dann auch noch der Gegner in Führung gegangen wäre? Oder was, wenn gegen Argentinien Riquelme nicht ausgewechselt worden wäre? Die vier wussten, dass im Sport immer auch das Schicksal mitspielt. Vor Gericht und auf hoher See ist man in Gottes Hand, heißt es. Aber ist es in einem WM-Halbfinale nicht genauso?

Schonen für's Finale
3. Juli 2006, Berlin

Ich hatte nicht nur Lehmanns Zettel beim Elfmeterschießen zunächst verpasst, auch die Rangelei zwischen den argentinischen und deutschen Spielern hatte ich nur am Rande miterlebt. Als ich sah, dass Lehmann sich dem Jubel seiner Mitspieler entzog und unversehens in die Kabine ging, war ich ihm ein paar Meter gefolgt. In dem Moment war es auf dem Platz losgegangen, doch als ich wieder zurückkam, war es auch fast schon wieder vorbei.

Später in der Kabine war der Tumult kein Thema mehr. Wir hatten gewonnen, es war ein historischer Sieg, und alles andere war nicht mal sekundär, sondern schon längst vergessen. Ballack sagte zu Borowski zwar noch, dass er die Rangelei doch erst verursacht hätte, aber das war nur Spaß. Die Argentinier hatten alle deutschen Spieler auf dem

Weg zum Elfmeter beschimpft, um sie nervös zu machen. Nachdem Borowski seinen Elfmeter verwandelt hatte, legte er auf dem Rückweg den Zeigefinger an die Lippen, um ihnen zu zeigen: Seid mal schön still. Weil aber Borowski den letzten deutschen Elfmeter verwandelt und Lehmann direkt danach den entscheidenden Elfmeter von Cambiasso gehalten hatte, suchten sich die Argentinier Borowski als Opfer aus. Nur erwischte es Per Mertesacker, dem Cufre in den Bauch trat, weil er ihn mit Borowski verwechselte.

Die Argentinier blieben auch danach schlechte Verlierer. Wenn die Trikots nicht direkt nach dem Spiel auf dem Platz getauscht werden, geht ein Betreuer rüber und macht das, aber diesmal wurde unser Betreuer nicht in die Kabine gelassen. Vielleicht waren sie einfach überdreht, denn so hatten sie schon gewirkt, als sie im Stadion ankamen. Einige Funktionäre hatten mit den Händen vor die Scheiben ihres Busses geschlagen und gesungen. Sie puschten sich auf, wie sie es schon beim Confederations Cup gemacht hatten, bevor sie gegen uns spielten. Damals fuhr unserer Bus direkt hinter denen, und man dachte, das es nicht die argentinische Mannschaft, sondern deren Fans wären.

Der Vorfall auf dem Platz entwickelte seine Wirkung erst zwei Tage später. Ich kam abends ins Hotel, und dort stieg Michael Steinbrecher vom ZDF gerade aus dem Auto, um vor dem Quartier der Nationalmannschaft live davon zu berichten, dass Torsten Frings eine Sperre drohte. Angeblich hatte das italienische Fernsehen RAI neue Bilder mit einem Faustschlag von ihm gefunden. Ich ging ins Hotel, und da saß Frings zusammen mit Harald Stenger auf der Couch vor dem Fernseher und schaute sich den ersten Bericht in Sachen Frings an.

Torsten Frings macht gerade eigentlich fast nichts

Es war eine Situation, die mich so beklommen machte, dass ich einen Frosch im Hals hatte. »Ich habe doch eigentlich nichts gemacht«, sagte Frings, aber das war natürlich ein Akt der Verdrängung, denn er wusste und konnte nun auch sehen, dass seine Faust einen Argentinier traf, wenn auch nur leicht. Frings hatte eigentlich sagen wollen: »Ich habe doch nicht genügend gemacht, um gesperrt zu werden.« War sein

Verhalten nicht als Notwehr zu verstehen? Immerhin hatten die Argentinier angefangen und waren durchgedreht.

Ich ging davon aus, dass die Fifa ein Exempel statuieren würde, um jungen Spielern kein schlechtes Vorbild zu geben. Außerdem durfte sich der Weltverband nicht nachsagen lassen, den Gastgeber Deutschland irgendwie zu bevorzugen. Bierhoff und Klinsmann besprachen sich mit den Presseleuten Stenger und Voigt, außerdem konsultierten sie einen der DFB-Anwälte, um die Verteidigungslinie festzulegen. Ihre Strategie sah vor, mit der Tatsachenentscheidung des Schiedsrichters zu argumentieren. Der Slowake Lubos Michel hatte schließlich Cufre die Rote Karte gezeigt, also den Vorfall insgesamt gesehen. Wenn er Frings keine Rote Karte gezeigt hatte, hatte er dessen Verhalten auch nicht als unsportlich bewertet.

Wir flogen am Montagvormittag nach Dortmund, dort gab es nachmittags noch ein Training, und die Nachricht mit der Sperre erreichte uns auf der Fahrt dahin. Frings musste ein Spiel aussetzen, und Klinsmann sagte auf dem Trainingsplatz: »Torsten ist gegen Italien nicht dabei, aber dann spielt er halt im Finale.« Der Schock war weder bei der Mannschaft noch bei den Trainern groß, oder es ließ sich niemand anmerken. Natürlich war es ein Nachteil, weil Frings gerade gegen Argentinien so stark gespielt hatte. Aber alle dachten offenbar, dass es nicht Nachteil genug wäre, um nicht gegen Italien zu gewinnen. Ein bisschen redet man sich das natürlich auch schön. So war Frings mit einer Gelben Karte vorbelastet, und weil er sich nun aufgrund seiner Sperre gegen Italien nicht die zweite Gelbe Karte abholen konnte, wäre er auf jeden Fall im Finale dabei.

Wie ich die WM verlor
4. Juli 2006, Dortmund

Wie schon gesagt, gehörte es zum festen Ablauf vor den Spielen, dass mein »Motivationsvideo« lief. Aber was ich für das Halbfinale gegen Italien zusammengeschnitten hatte, kam mir nicht mehr so überzeugend vor wie die vorangegangenen Filme. Ehrlich gesagt, fand ich es sogar relativ einfallslos, und die Spieler offensichtlich auch. Als ich ihnen vor dem Spiel gegen Costa Rica zum ersten Mal ein Video gezeigt hatte, waren sie anschließend wortlos zum Bus getrottet. Beim zweiten Mal, vor dem Spiel gegen Schweden, gab es schüchternen Applaus, und beim dritten Mal, vor dem Spiel gegen Argentinien, war er tosend. Vor dem Spiel gegen Italien fiel er wieder eher schüchtern aus. Aber schon bei der Vorführung war der Wurm drin gewesen, denn auf einmal funktionierte die Technik nicht. Die Original-DVD war plötzlich verschwunden und die Kopie akzeptierte das Gerät nicht. Also mussten wir den DVD-Player austauschen und erst dann lief das Filmchen, aber ich dachte schon: »Böses Omen!«

Außerdem war noch etwas anderes passiert, weshalb ich die Niederlage zumindest teilweise auf meine Kappe nehme: Ich hatte mein Glücksritual nicht ordentlich durchgeführt. Vielen meiner Freunde ging es jedoch ähnlich, die nach dem Spiel zugeben mussten, dass sie entweder nicht das gleiche Trikot wie vorher getragen hatten, den Fernseher woanders aufgebaut oder das Spiel nicht mit den gleichen Leuten wie zuvor angeschaut hatten.

Auch ich war vom Erfolgsweg abgekommen, obwohl ich zuvor extra eine neue Richtung eingeschlagen hatte. Früher hatte ich mich während eines Filmdrehs nie rasiert. Das hatte elf Jahre lang Glück gebracht, doch beim letzten Projekt vor der WM, einer Fernsehserie, ging zu viel schief, um weiter an meinem alten Ritual festzuhalten. Deshalb hatte ich mir für die Weltmeisterschaft vorgenommen, es quasi umzukehren, und bin vor entscheidenden Spielen zum Friseur gegangen, um meine Haare dem Fußballgott zu opfern. Ich hatte anfangs ziemlich lange Haare, die ich mir vor dem Spiel gegen Costa Rica habe halblang schneiden lassen. Nach den Spielen gegen Schweden und Argentinien waren sie jedoch schon so kurz, dass sich mir die Frage stellte, was ich vor dem Spiel gegen Italien tun sollte? Und was könnte ich noch fürs

Finale aufbewahren? Ich habe dann hin und her überlegt und bin zu dem Schluss gekommen, im Halbfinale auszusetzen und mir die Glatze erst zum Finale scheren zu lassen. Doch der Fußballgott ließ sich nicht übertölpeln und zürnte unserem Team.

Ich war einfach zu optimistisch gewesen. Wer oder was sollte uns schon stoppen? Es lief doch genau so, wie eine Weltmeisterschaft laufen muss. Wir hatten das Eröffnungsspiel, in dem man nie weiß, wo man steht, mit einem prima Ergebnis beendet. Gegen Polen gab es den historischen Sieg, der Mannschaft und Publikum zusammenführte. Dann wurde das unbequeme Ecuador im dritten Spiel klar besiegt und die Gruppe gewonnen. Gegen Schweden zeigte die Mannschaft fantastische erste 30 Minuten, die besten seit Menschengedenken. Damit fehlte nur der lang ersehnte Sieg gegen einen großen Gegner und ein Spiel, bei dem ein Rückstand noch gedreht wurde. Beides wurde gegen Argentinien erledigt. Wir konnten das Halbfinale nur gewinnen.

Dort wartete jedoch eine Mannschaft, die ebenfalls einen idealen Turnierverlauf hatte. Allerdings folgte dieser eher dem Ideal des Glücklichen, das man in der Vergangenheit eigentlich von den Deutschen kannte. Trotz eines wackeligen zweiten Spiels gegen die USA beendeten die Italiener ihre Gruppe einigermaßen souverän als Sieger, gewannen im Achtelfinale gegen Australien jedoch erst in der fünften Minute der Nachspielzeit durch einen unberechtigten Elfmeter, nachdem sie fast eine Halbzeit lang in Unterzahl spielten. Dann bekamen sie im Viertelfinale mit der Ukraine den leichtesten Gegner und siegten locker mit 3:0. Überlagert wurde ihre Weltmeisterschaft vom Fußball-Skandal im eigenen Land, und die meisten Spieler wussten nicht einmal, ob ihr Klub in der nächsten Saison in der ersten, zweiten oder dritten Liga spielen würde. Die fünf Profis von Juventus Turin mussten aber fast sicher sein, dass ihr Klub verbannt würde und sie sich nach der Weltmeisterschaft einen neuen suchen müssten. War das nicht ein gewaltiges Hemmnis?

Wir verbrachten den Spieltag in Castrop-Rauxel im Hotel, vom Ablauf her war eigentlich alles wie immer. Die Stimmung war gut, das Selbstvertrauen stimmte. Trotzdem war ich beeindruckt, wenn ich hörte, dass Jens Lehmann nach dem Mittagessen um einen Weckruf bat, weil er sich nochmal zu einem Nickerchen hinlegte. Aus eigener Erfahrung wusste ich, wie nervös ich an Tagen gewesen war, wenn wir mit der Spielvereinigung Erkenschwick oder Westfalia Herne mal nicht vor 500, sondern vor 2.000 Zuschauern gespielt haben. Bei Lokalderbys kamen auch mal 6.000 Zuschauer, und das fand ich dann richtig aufregend. Allein die Vorstellung, dass 70.000 Menschen im Stadion, 20 Millionen am Fernsehen nur in Deutschland und weltweit vielleicht eine Milliarde Leute zuschauen, hätte bei mir für Blei in den Beinen gesorgt. Aber vielleicht gewöhnt man sich wirklich daran.

Auf dem Weg ins Stadion war die Stimmung nicht angespannter als sonst, schließlich war Dortmund unser Extrapluspunkt. Wenn es bei der Weltmeisterschaft ein Heimspiel gab, dann hier. Auf diesem Rasen war noch keine deutsche Nationalmannschaft besiegt worden, und das sollte auch den Italienern nicht gelingen. Als sie gut anderthalb Stunden vor Anpfiff zur Platzbesichtigung rauskamen, waren wir schon da. Wir standen auf der Spielhälfte links vom Spielertunnel, und als die Italiener kamen, machten sie etwas, das ich sehr schlau fand. Sie sind nicht etwa auf die freie rechte Hälfte gegangen, sondern auch auf die linke Seite gekommen. Das war ganz unaggressiv, sollte aber auf subtile Weise signalisieren: Wir haben keine Angst vor euch! Wir sind auch da!

Wahrscheinlich wurde es ihnen so aufgetragen, und ich fragte mich, ob sie damit die Ansprache von Klinsmann in der Kabine ein wenig unterliefen. Er hatte den Spielern nämlich erzählt, dass die Italiener zwar so locker tun würden, aber in seiner Zeit in Italien hätte er es oft genug erlebt, dass sie quasi schlotternd vor Angst in der Kabine gesessen hätten. Nur, diesen Eindruck hatten sie bei der Platzbesichtigung nicht gemacht. Waren sie nur gute Schauspieler, oder waren sie wirklich nicht sonderlich beeindruckt?

Danach gab es keine besonderen Vorkommnisse mehr, es ging los und ich hoffte, dass unser Plan aufging, in dem wir ihren durchkreuzten. Die Italiener hatten den Gegner in den vorangegangenen Spielen stets in die Mitte des Spielfelds zu locken versucht. Dort warteten Gennaro Gattuso und Andrea Pirlo sowie hinter diesen überragenden defensiven Mittelfeldspielern die nicht minder starke Innenverteidigung um Fabio Cannavaro. Um sie zu umgehen, wollten wir das Spiel auf die Außenpositionen verlagern und durch Seitenwechsel die Italiener laufen lassen. »Du musst sie treiben, das mögen sie nicht«, hatte Michael Ballack bei einer der Besprechungen gesagt. Podolski sollte ein bisschen Pirlo mit im Blick behalten und für Kehl ging es gegen Totti.

Unsere Mannschaft hielt sich an all die Anweisungen. Die Innenverteidiger Mertesacker und Metzelder ließen einen halben Meter Abstand zu Italiens Mittelstürmer Luca Toni. Das hatte Löw ihnen geraten, weil Toni bei direktem Körperkontakt oft Freistöße provozierte. Auch sonst erwiesen sich die Hinweise als richtig. Siegenthaler etwa hatte ausgespäht, dass die Italiener fast immer den Eckball auf den ersten Pfosten spielten, wenn der Schütze vorher den Finger hob.

Mir kam das Spiel bald so ähnlich vor wie das gegen Argentinien. Erneut beharkten sich zwei sehr gute Mannschaften auf taktisch hohem Niveau, so dass kein Tor fiel. In der Halbzeit sagte Klinsmann voraus, dass wir durch ein spätes Tor mit 1:0 gewinnen würden und genau das habe ich auch geglaubt. Als nach 90 Minuten aber noch kein Tor gefallen war, habe ich es wieder mit dem Trick versucht, mir schönzureden, wenn wir jetzt ausscheiden sollten und ich nach

Hause könnte. Dabei hatte ich völlig verdrängt, dass es im Fall der Niederlage keineswegs nach Hause, sondern zum Spiel um Platz drei gehen würde. Mit meinen Beschwörungen hatte ich wohl einen schlechten Tag erwischt.

Als die Italiener in der Verlängerung erst an den Pfosten und dann noch an die Latte schossen, dachte ich, sie hätten ihre Chancen gehabt. Jetzt mussten wir nur noch unsere bekommen, und wenn nicht, war es auch egal: Der Zettel fürs Elfmeterschießen war diesmal noch besser, am Vortag hatte Siegenthaler nämlich 120 Elfmeter der italienischen Spieler ausgewertet. Jens Lehmann würde immer in der richtigen Ecke sein. Weil Marcello Lippi dieses Elfmeterschießen jedoch unbedingt vermeiden wollte, lief die Verlängerung anders als erwartet, denn der italienische Nationaltrainer wechselte konsequent offensiv. Eine Viertelstunde vor Schluss ersetzte er zunächst Mittelstürmer Toni durch Gilardino, mit Beginn der Verlängerung kam Iaquinta für Camoranesi und kurz vor dem Ende der ersten Halbzeit der Verlängerung wechselte er auch noch Del Piero für Perrotta ein. Damit war nun sowohl die rechte als auch die linke Außenbahn offensiver besetzt als zu Beginn der Partie. Die Italiener wollten dieses Spiel unbedingt bis zum Abpfiff gewonnen haben. Im Nachhinein habe ich das als einen Geniestreich von Lippi gesehen, und dazu gehört der Mut, den Pekerman nicht hatte, als er Riquelme rausnahm.

Noch schlimmer war es nur am nächsten Tag

Außerdem hatten die Italiener den Odonkor-Code geknackt. Vorher hatte es zweimal geklappt, ihn im Verlauf des Spiels so einzusetzen, dass die Gegner von seiner Schnelligkeit richtig beeindruckt waren. Die

Polen hatte das völlig überfordert, und im Spiel gegen Argentinien konnte Sorin nur gebremst gegen Odonkor einsteigen, weil er schon eine Gelbe Karte hatte. Bei den Italienern hingegen gab es nach Odonkors Einwechselung die Anweisung, sich erst gar nicht auf ein Wettrennen mit dem vielleicht schnellsten Spieler der WM einzulassen. Fabio Grosso blieb einfach hinten stehen und wartete auf ihn.

Die starke Leistung der Italiener hat mich auch einigermaßen getröstet, denn ihr Sieg war nicht unverdient. Wenn bei einem Auswärtsspiel, was dieses Halbfinale für die Italiener schließlich war, in der 119. Minute der linke Verteidiger vorne rechts auftaucht und das Tor schießt, dann ist das schon beeindruckend. Als der Ball über der Linie war, dachte ich auch sofort: Das war's! Obwohl ich sonst eher zu den Optimisten gehöre und immer denke, dass noch was möglich ist. Aber dieses Tor habe ich als Todesstoß empfunden.

The day after
5. Juli 2006, Berlin

Nach allen Spielen war es für mich schwierig gewesen, herunterzukommen und einschlafen zu können. Nach dem Aus dauerte es jedoch noch länger, denn immer wieder wehten die Szenen der Niederlage an mir vorbei.

Nach dem Spiel waren Bundespräsident Köhler und Bundeskanzlerin Merkel in die Kabine gekommen. Sie hatten den Spielern reihum die Hand geschüttelt. Jeder von ihnen war auch brav aufgestanden, aber wirklich registriert hatten sie das nicht. Die Anwesenheit der Spitzen des Staates spielte für sie in diesem Moment keine Rolle, es hätten auch George Bush oder Madonna kommen können. Die Zeit der Tränen war in der Kabine zwar schon vorbei, doch dafür war eine Schockstarre eingetreten. Auf dem Platz hatten Ballack, Odonkor und ein paar andere noch geweint, aber dann machte sich kriechend ein überwältigendes Gefühl von Leere breit. Auch ich war zunächst zu keiner Reaktion fähig gewesen, vollkommen bewegungslos konnte ich nicht einmal die Kamera in die Hand nehmen. Aber nach zehn Minuten riss ich mich zusammen, schließlich wollte ich die Dinge so zeigen, wie sie sind. Dazu gehört auch eine Niederlage, selbst wenn es die ultimative Niederlage war, das Ende aller Hoffnungen, Weltmeister zu werden.

Die Stunden nach dem Halbfinale waren Stunden im Leben, die man nicht braucht. Wieder hatte es ewig gedauert, bis wir aus dem Stadion waren, dann ging es zum Flughafen, und die ganze Zeit über wurde nur das Nötigste gesprochen. Es war still, selbst Podolski hat geschwiegen. Es war schon spät, als wir in Berlin eintrafen, und dann hat Jürgen Klinsmann noch einmal alle kurz zusammengerufen. Das hatte er auch vorher schon gemacht, wenn wir von Spielen wieder im Hotel ankamen. Er sagte, dass es absolut gigantisch sei, was sie geleistet hätten. Das mochte stimmen und er selbst klang auch überzeugt, aber an sich heranlassen konnte das in diesem Moment keiner.

Am nächsten Morgen wurde das Frühstück wortlos eingenommen, wie überhaupt der Tag danach besonders schwer war. Jens Lehmann meinte sogar, dass es noch schlimmer als direkt nach dem Spiel sei. Dann sei man noch voll gepumpt mit Adrenalin und es sei drum herum viel los. Die Erkenntnis, dass es wirklich vorbei ist, die würde erst am nächsten Tag richtig durchschlagen. So war es auch, und so war es der stillste Tag der WM.

In dieser Stimmung von Niedergeschlagenheit fand abends eine mannschaftsinterne Debatte statt, die auch noch einem Missverständnis entsprang. Es ging um die Frage, wann sich die Spieler auf der Fan-Meile am Brandenburger Tor von den Fans verabschieden wollten. Sollte das am Freitag passieren, direkt vor dem Abflug zum Spiel um Platz drei in Stuttgart, oder nach dem Spiel? Sollte man mannschaftsintern noch in Stuttgart feiern oder wie sonst immer erst nach Berlin zurückreisen? Spieler wie Ballack, Lehmann oder Kahn, die von der Niederlage gegen Italien besonders frustriert waren, wollten die Verabschiedung in Berlin schon am Freitagmittag erledigen, um dann von Stuttgart aus nach München oder sonst wohin nach Hause zu fahren. Das jedoch hatte Frings missverstanden. Er glaubte, sie wollten sich gar nicht mehr in Berlin vom Publikum verabschieden. Das stimmte zwar nicht, aber sie haben aneinander vorbei diskutiert – kein Wunder an diesem Tag. Am Ende gab es eine Abstimmung: In Stuttgart würden wir übernachten und am Sonntagmittag in Berlin auf Wiedersehen sagen.

Stuttgart ist viel schöner als Berlin
8. Juli 2006, Stuttgart

Ich hätte nie gedacht, dass dieses Spiel um den dritten Platz noch irgendwas zählen würde, und hatte sogar überlegt, am Tag vorher einen Termin in Nürnberg wahrzunehmen und dann nur mal eben schnell zum Spiel zu kommen. Zum Glück entschied ich mich dagegen, denn schon am Tag vor dem kleinen Endspiel deutete sich an, dass in Stuttgart Großes passieren würde. Als wir dort ankamen, standen 7.000 Leute vor dem Hotel und haben die Mannschaft gefeiert. Als die Spieler und Trainer ans Fenster gingen, winkten die Leute ihnen zu, es gab Beifall, Sprechchöre, und die ziemlich trübe Stimmung verflog. Eine solche Euphorie hatte nach dem Tiefpunkt gegen Italien keiner von uns erwartet. Aber das Publikum in Stuttgart wollte nochmal einen großen Haken dahinter machen. Die

Leute haben den Spielern signalisiert, dass sie trotz der Niederlage im Halbfinale begeistert waren und es nicht so schlimm war, dass die deutsche Mannschaft den Gewinn der Weltmeisterschaft verpasst hatte. Das jedenfalls schien die Botschaft derer zu sein, die uns am Hotel begrüßten.

Es war ein unerwartetes Happy End, das auch für meine Arbeit Folgen hatte. Es war klar gewesen, dass es den Film geben würde, egal wie die deutsche Mannschaft abschnitt. Selbst wenn sie schon in der Vorrunde ausgeschieden wären, hätte das Material nach gut fünf Wochen für einen 90-Minuten-Film gereicht. Der hätte dann wahrscheinlich »Scheitern als Chance« geheißen und wäre im Fernsehen gelaufen, vermutlich zu einer guten Sendezeit, aber wahrscheinlich mit einer ziemlich miesen Einschaltquote. Für den Fall des Gewinns der Weltmeisterschaft oder das Erreichen des Finales, so hatte ich erwartet, würde er ins Kino kommen. Aber hatten wir im Halbfinale wirklich ein grandios tragisches Scheitern mit Kino-Qualität erlebt? Würden die Leute dafür zu Hause aufstehen, ins Auto steigen, sich aufs Fahrrad oder in die U-Bahn setzen, ins Kino fahren, dort anstehen und zehn Euro Eintritt bezahlen, um das zu sehen?

Diese Fragen waren für mich beantwortet, als uns in Stuttgart all die Menschen auf dem Platz vor dem Hotel bejubelten. Vielleicht haben wir sogar erst dort wirklich verstanden, was dieses Team bei den Leuten ausgelöst hatte, dass deren Euphorie eben nicht virtuell und im Keller unseres Hotels simuliert worden war. In dem Moment war ich mir sicher, dass der Film ins Kino kommen würde. Dass die Erkenntnis so spät kam, dass ich nicht früher die Stimmung erfasst hatte, lag an unserem Leben unter der Käseglocke. Wenn ich draußen gewesen wäre, hätte ich schon früher erkannt, wie viel Liebe dieser Mannschaft entgegengebracht worden ist. Aber zuvor hatten der Jubel und die Unterstützung, wie sie die Spieler erlebten, meistens im direkten Zusammenhang mit den Spielen gestanden, im Stadion oder auf dem Weg dahin. In Stuttgart kamen sie eigentlich als Verlierer an und waren für die Fans doch keine.

Das bekamen sie auf ganz besonders schöne Weise vor der Fahrt ins Stadion mit. Diesmal gab es kein Video, das wäre mir mit den Bildern des Halbfinales auch ziemlich schwer gefallen, sondern wir kamen zusammen, um uns ein Lied anzuhören. Xavier Naidoo, dessen Songs uns durch das Turnier begleitet hatten, hatte sich nach dem Spiel gegen Italien zu einem Dank an die Mannschaft aufgefordert gefühlt und ihn noch in derselben Nacht zu einem Song verarbeitet. Dessen Welturaufführung erlebten wir kurz vor der Abfahrt ins Stadion.

Dass »Danke« innerhalb kurzer Zeit zur Nummer eins in den Charts wurde, hatte sicherlich auch damit zu tun, dass Naidoo die Stimmung der Leute traf. »Wer so kämpft, der darf auch verlieren«, hieß es bei ihm, »uns bleibt nichts zu tun, außer Danke zu sagen, denn ihr habt Großes geleistet in diesen Tagen.« Die Spieler saßen, hörten zu und waren bewegt. »Wer so kämpft wie ihr, darf auch mal verlieren. Die Menschen lieben euch, das wird euch motivieren.« Dann bedankte sich Naidoo bei jedem der Spieler einzeln und zum Schluss bei Jürgen Klinsmann und den Trainern.

Bewegt stiegen wir in den Bus und landeten auf der verrücktesten Party der ganzen Weltmeisterschaft, denn im Stadion wurde die Mannschaft von der Begeisterung überrollt. Das war noch bemerkenswerter, weil das Stuttgarter Stadion in Spielerkreisen eher nicht beliebt war. Es hat eine Laufbahn um den Rasen und die Zuschauer sind entsprechend weit weg. Aber diese Distanz wurde beim Spiel gegen Portugal leicht überwunden. Als Bastian Schweinsteiger innerhalb von gut 20 Minuten auch noch zweieinhalb Tore schoss, war kein Halten mehr. Die Zuschauer haben den Sieg im Spiel um Platz drei gefeiert, als ob der Gewinn der Weltmeisterschaft nichts dagegen wäre. Unablässig sangen sie »Stuttgart ist viel schöner als Berlin«, und vielleicht war dieser Abschluss sogar besser, als wenn wir ins Endspiel gekommen wären und dort verloren hätten. Selbstverständlich ist es etwas ganz Besonderes, in einem Finale der Weltmeisterschaft zu stehen, aber im Spiel um den dritten Platz mit einem Sieg aufgehört zu haben, war wunderbar.

Nach dem Spiel wurde zum ersten Mal ordentlich viel getrunken, das fing schon in der Kabine an. Das Turnier war jetzt vorbei, es musste nicht mehr regeneriert werden, in einem fort wurden neue Kästen Bier durch die Tür getragen. »Nach dem Spiel ist vor dem Spiel« spielte keine Rolle mehr, alle konnten loslassen, und dann war es im Grunde nicht anders als beim Aufstieg der Spielvereinigung Erkenschwick in die zweite Bundesliga Nord. Lukas Podolski filmte vergnügt mit der »Poldicam«, die ich ihm gegeben hatte. Christoph Metzelder rasierte sich und musste die Diskussionen seiner Mannschaftskameraden über sich ergehen lassen, ob er nun mehr oder vielleicht doch weniger Chancen bei den Frauen hätte. Es ist das Faszinierende am Fußball, dass in solchen Momenten der Jubel auf jedem Niveau gleich ist, ob auf dem einer Nationalmannschaft oder dem in der neunten Liga. Nur Oliver Kahn wirkte in sich gekehrt, er hatte im letzten Spiel des Turniers zum 86. Mal im Tor der Nationalmannschaft gestanden und danach seinen Rücktritt verkündet.

Auf der Busfahrt zurück zum Hotel kam endlich auch meine CD mit den Stimmungsliedern zum Einsatz. Alle haben »Viva Colonia« gesungen, selbst Klinsmann hat euphorisch mitgemacht und ist bei »Marmor, Stein und Eisen bricht« völlig aus sich herausgegangen. Als wir dann um halb zwei Uhr nachts endlich zurück waren, landeten wir auf der nächsten Riesenparty. Diesmal standen 25.000 Menschen vor dem Hotel, um die Mannschaft ein weiteres Mal zu feiern. Also ging es wieder hoch in die erste Etage, die Fenster wurden wieder aufgerissen, wieder wurde gewinkt, wieder wurde gejubelt.

Anschließend sind wir in ein Restaurant neben dem Hotel gegangen. Die Familien waren dabei, aber es war keine ausufernde Party mehr. Zwar wurde noch weiter getrunken, aber es machte sich vor allem Glückseligkeit breit. Alle schienen einen halben Meter über dem Boden zu schweben und verträumt zu grinsen. Sie waren wie berauscht von der Daueremotion, die wir in Stuttgart seit unserer Ankunft erlebt hatten, denn das hatte noch keiner der Spieler erlebt und ich sowieso nicht. Zugleich schwang ein wenig Sentimentalität mit, dass wir nun nach sieben gemeinsamen Wochen bald auseinandergehen würden.

Zugleich war da aber immer noch ein kleiner Schmerz, halt doch nicht Weltmeister geworden zu sein. Frings sagte, dass der dritte Platz eigentlich zu wenig sei und sie es verdient gehabt hätten, Weltmeister zu werden. Wenn man daran denkt, dass Ballacks Freistoß gegen Italien hätte drin sein können oder Schneider getroffen hätte. Oder Italien wäre schon gegen Australien ausgeschieden und hätten wir dann im Halbfinale gegen die Ukraine gespielt? Wie wäre das Spiel gegen Italien mit Frings gelaufen? Solche Wenn und Abers schwangen mit bis in den Morgen, bis zu dem die meisten ihr Bett nicht mehr sahen.

Über den Jubel in Stuttgart schrieben einige Zeitungen, dass noch keine deutsche Nationalmannschaft so gefeiert worden sei wie diese. Das ist fast richtig, denn nur eine ist noch mehr gefeiert worden. Als die Weltmeister von 1954 nach ihrem Sieg mit dem Zug aus Bern zurück nach München fuhren, standen entlang der Strecke auf jedem Bahnhof Zehntausende, und als sie ankamen, war die ganze Stadt im Ausnahmezustand. 2006 in Stuttgart schloss sich der Kreis. 1954 hatte eine deutsche Nationalmannschaft der jungen Bundesrepublik ein erstes Selbstwertgefühl gegeben, 2006 half eine deutsche Nationalmannschaft dem Land, sich selbst zu mögen.

Hauptstadt animiert
9. Juli 2006, Berlin

Die Rückkehr nach Berlin, den Auftritt am Brandenburger Tor mit ihrem ersten Besuch der auch für sie schon legendären Fan-Meile haben die Spieler noch einmal genossen, aber emotional blieb es ein Nachklapp. Das mag seltsam klingen, wenn man bedenkt, dass noch einmal eine halbe Million Menschen gekommen war, vielleicht auch mehr. Die Sportfreunde Stiller spielten und Xavier Naidoo, dessen Lieder uns die ganze Weltmeisterschaft begleitet hatten, aber es blieb nach den aufwühlenden Erlebnissen von Stuttgart nur das Zweitgrößte. Es war noch einmal irre, weil die meisten die Nacht durchgemacht und noch einen im Tee hatten, aber für mich hatte die Kulisse der Fan-Meile zugleich etwas zutiefst Unwirkliches.

Es mag mit der professionellen Deformation eines Filmregisseurs zu tun haben, doch ab einer bestimmten Anzahl von Leuten denke ich, dass es nicht mehr echt sein kann. Von den 25.000 in Stuttgart war ich sehr beeindruckt, bei den 500.000 in Berlin dachte ich, sie seien vom Computer generiert. Das sah aus wie *Matte Painting* aus der Hexenküche der Spezialeffekte. Ich kannte das schließlich von »Das Wunder von Bern«, wo wir mit 250 Komparsen am Computer das virtuelle Wankdorf-Stadion für das Endspiel von 1954 vollgemacht haben.

Vom Brandenburger Tor kehrten wir nicht ins Schlosshotel Grunewald zurück, sondern gingen ins Hotel Adlon, das nur wenige Schritte entfernt ist. Die Spieler hatten auf die Reise nach Stuttgart nur Gepäck für zwei Tage mitgenommen, der Rest wurde ihnen nach Hause geschickt. Die meisten sind nur kurz ins Adlon, um am Hintereingang gleich in Busse zu steigen, welche die Spieler zu ihren jeweiligen Flügen nach Tegel, Tempelhof oder Schönefeld brachten. Im allgemeinen Durcheinander gab es auch keine Verabschiedung. Es herrschte eine irrsinnige Hektik, und auf einmal waren alle weg. Mich hat das nicht gestört, denn ich bin sowieso nicht gut im Verabschieden. Selbst auf meinen eigenen Partys gebe ich nur wenigen Leuten einen Wink, dass ich jetzt nicht mehr da bin. Wenn sich beim Abschlussfest nach Dreharbeiten alle in den Armen liegen und gegenseitig vorschwärmen, noch nie so schöne Dreharbeiten erlebt zu haben, ertrage ich das auch nur schwer. Insofern war ich über das abrupte Ende ganz froh. Im Nachhinein kamen ein paar SMS, die immer so anfingen, dass es ein bisschen plötzlich auseinanderging, aber wir mal in Kontakt bleiben sollten. So fand ich das gut.

Die Torhüter sind echt, ist es auch das Publikum?

Plötzlich stand ich am Hinterausgang des Adlons, alle waren weg, und es kamen zwei Touristen, die mich im Fernsehen gesehen hatten und fotografieren wollten. Das sah eine Gruppe von Amerikanern, die fragten, wer ich denn sei und was ich mache. Also habe ich ihnen von dem Film über die Weltmeisterschaft erzählt, und daraufhin haben sie geschwärmt, dass sie seit vier Wochen in Deutschland seien, dass sie die deutsche Mannschaft am besten fanden, aber es hier überhaupt ganz toll wäre und sie bald wiederkommen wollten.

Aufgesaugt von der Realität, die neu aber schön war, bin ich dann noch ins Hotel gefahren, um meine Karten fürs Endspiel abzuholen. Dort waren inzwischen schon die ersten neuen Gäste angekommen. Wir hatten es fünf Wochen lang für uns gehabt, doch inzwischen war ein Spanier mit seinen beiden Söhnen eingezogen. Für mich gehörten sie hier nicht hin. Unsere Lounge-Möbel standen da noch, auch die Massagebänke waren noch nicht abgeholt worden; es sah noch wie unser Hotel aus, aber das war es nicht mehr.

Ach, wie gut, dass niemand weiß, dass ich Jürgen Klinsmann heiß
6. August 2006, Huntington Beach (Kalifornien)

Es wusste wirklich niemand, ob Jürgen Klinsmann weitermachen würde, weder Bierhoff, Löw oder Köpke und vielleicht nicht einmal Klinsmann selbst. Vor der Weltmeisterschaft hatte ich gedacht, dass er im Falle von Erfolglosigkeit und als Weltmeister auf jeden Fall zurücktreten würde. Aber das Halbfinale war ein Zwischending. Musste er nicht das Gefühl haben, dass seine Arbeit unvollendet war? Wollte er auf den Flügeln der Euphorie um die Nationalmannschaft nicht doch bis zur Europameisterschaft 2008 weitermachen?

Alle anderen Interviews für den Film hatte ich während der Weltmeisterschaft geführt, und der Blick war dabei nach vorne gerichtet. Was war ihr Plan und wie sahen ihre Hoffnungen aus? Klinsmann jedoch wollte ich rückblickend erzählen lassen. Das sollte mit Abstand passieren, sowohl zeitlich als auch räumlich, weil ich mir davon eine größere Ehrlichkeit versprochen habe. Also flog ich nach Kalifornien, und dort rundete sich für mich das Bild, und die offenen Fragen wurden beantwortet.

Ob er als Bundestrainer weitermachen wollte, hatte Klinsmann während des Turniers verdrängt so gut es ging. »Man wollte keine Entscheidung treffen«, sagte er. Das war ungewöhnlich unpersönlich formuliert, denn sonst sagt Klinsmann durchaus »ich« und nicht »man«, wenn er über sich spricht. Als nach dem Aus gegen Italien die Fragen nach seiner Zukunft drängender wurden, hatte er Bierhoff, Löw und Köpke nach dem Spiel um den dritten Platz eingeweiht, »dass ich wieder zur Familie zurück will«. Er hatte sich überprüft und festgestellt, »dass ich es vom Kopf her nicht gepackt hätte, nach wenigen Wochen wieder zurückzufliegen und das nächste Länderspiel vorzubereiten«. Um Kontinuität in der Trainerfrage zu wahren, besprachen sie sich untereinander und dann mit dem Verband. »Wir haben mit dem DFB die Weichen gestellt, dass Jogi weitermacht«, sagte er.

Von ihm hätte er während des Turniers besonders viel gelernt. »Ich habe von Jogi beigebracht gekriegt, ein Spiel zu lesen«, sagte Klinsmann. Überhaupt war seine Bilanz der Weltmeisterschaft ungetrübt; es blieb kein Hadern. Im Spiel gegen Polen hatten Mannschaft und

Publikum zusammengefunden. »Gegen Schweden haben wir der Welt demonstriert, dass wir richtig Fußball spielen können.« Der ganz große Durchbruch war für ihn das Viertelfinale gegen Argentinien. »Da stand auf dem Spiel, ob wir den Sprung von einem guten zu einem außergewöhnlichen Turnier schaffen.« Bei der Frage, ob die Sperre von Frings gegen Italien entscheidend war, hob er die Achseln: »Er wäre Gold wert gewesen, aber ob wir mit ihm gewonnen hätten, das steht in den Sternen.«

Klinsmann wirkte in Kalifornien ausgesprochen aufgeräumt und sehr happy. Wir hatten uns am Vorabend zum Essen getroffen, er war locker wie immer und hatte gesagt: »Siehst du, hier ist es super, hier kennt mich keiner.« Dann kam der erste Mexikaner und wollte ein Autogramm von ihm haben. In den kalifornischen Restaurants arbeiten fast nur Mexikaner, putzen die Tische ab, bringen die Gläser und spülen. Die meisten sind Fußballfans und wussten natürlich genau, wer da am Tisch sitzt. Also kam auch schon der nächste und der übernächste. In Sachen Anonymität in den USA macht sich Klinsmann wohl ein bisschen was vor, zumindest in Restaurants.

Er sagte, dass er noch Zeit brauchen würde, um die Weltmeisterschaft zu verarbeiten, doch er hatte das Gefühl, dass er die zwei Jahre zuvor gesetzten Ziele zum großen Teil erreicht hatte. Der Gewinn der Weltmeisterschaft war nur eines davon, vor allem wollte er wieder alle in Deutschland für die Mannschaft begeistern, die ihm immer am nächsten gewesen war: die Nationalmannschaft. »Wir wollten zeigen, dass wir eine Identität aufbauen können, in der sich jeder wiederfindet, ob der Fan, die Spieler oder jene, die für die Mannschaft arbeiten. Wir wollten ein Spiel nach vorne entwickeln, für das man Mut und eine innere Überzeugung braucht. Es war unser Anliegen, zu beweisen, dass es machbar ist. Das ist ein Kulturwandel, und er hat bewirkt, dass die Leute sich mit unserer Arbeit identifiziert haben.« Durch die ungeheure Aufmerksamkeit, die der Fußball bei uns hat, und der durch die Weltmeisterschaft im eigenen Land noch einmal gesteigert wurde, war Klinsmann teilweise zu einer Symbolfigur für Aufbruch und Erneuerung des Landes insgesamt gemacht worden. »Es ist nie das Ziel gewesen, Vorbildfunktion für andere zu übernehmen«, sagte er. Wobei ihm schon klar war, dass genau das passierte. Im Fußball sei es jedoch wie in anderen Bereichen des Lebens. »Man muss auf dem globalen Markt mehr tun als die Konkurrenz. In Deutschland aber neigen wir dazu, festhalten zu wollen, was wir erreicht haben.«

Der aus seiner Sicht größte Erfolg bei der Weltmeisterschaft war die veränderte Außenwahrnehmung Deutschlands. »Das Schönste ist, dass wir in der Welt ganz anders betrachtet werden. Man hat ein neues Bild von uns, wo Partys gefeiert werden können und gute Laune angesagt ist, wo Gastfreundschaft und Weltoffenheit gelebt werden. Man hat ein neues Bild der deutschen Nationalmannschaft: Dass wir richtig gut

Fußball spielen können.« Am gelungensten fand er die wunderbare erste halbe Stunde des Achtelfinalspiels gegen Schweden. »Da haben sie so gespielt, als wären sie auf dem Bolzplatz und wollten so lange draußen bleiben, bis es dunkel wird und man nichts mehr sehen kann.« So, wie wir alle angefangen haben. Und wie wir gehofft hatten, dass es ewig weitergehen würde.

Abspann

Die deutsche Nationalmannschaft bei der WM 2006

Spieler

Trikot	Name	Geburtstag	Verein	Spiele	Tore
Tor					
23	Timo Hildebrand	05.04.1979	VfB Stuttgart	3	-
12	Oliver Kahn	15.06.1969	FC Bayern München	86	-
1	Jens Lehmann	10.11.1969	FC Arsenal	38	-
Abwehr					
3	Arne Friedrich	29.05.1979	Hertha BSC Berlin	42	-
4	Robert Huth	18.08.1984	FC Chelsea	17	2
2	Marcell Jansen	04.11.1985	Bor. Mönchengladbach	8	-
16	Philipp Lahm	11.11.1983	FC Bayern München	25	2
17	Per Mertesacker	29.09.1984	Hannover 96	29	1
21	Christoph Metzelder	05.11.1980	Borussia Dortmund	28	-
6	Jens Nowotny	11.01.1974	Bayer 04 Leverkusen	47	1
Mittelfeld					
13	Michael Ballack	26.09.1976	FC Bayern München	70	31
18	Tim Borowski	02.05.1980	Werder Bremen	26	2
8	Torsten Frings	22.11.1976	Werder Bremen	58	8
15	Thomas Hitzlsperger	05.04.1982	VfB Stuttgart	16	-
5	Sebastian Kehl	13.02.1980	Borussia Dortmund	31	3
22	David Odonkor	21.02.1984	Borussia Dortmund	5	-
19	Bernd Schneider	17.11.1973	Bayer 04 Leverkusen	71	1
7	Bastian Schweinsteiger	01.08.1984	FC Bayern München	35	9
Angriff					
14	Gerald Asamoah	03.10.1978	FC Schalke 04	41	6
9	Mike Hanke	05.11.1983	VfL Wolfsburg	7	1
11	Miroslav Klose	09.06.1978	Werder Bremen	62	29
10	Oliver Neuville	01.05.1973	Bor. Mönchengladbach	62	9
20	Lukas Podolski	04.06.1985	1. FC Köln	32	15

(Stand der statistischen Angaben nach dem Spiel um Platz drei am 8. Juli 2006)

Trainer

Chef	JÜRGEN KLINSMANN
Assistenz	JOACHIM LÖW
Torwart	ANDREAS KÖPKE
Manager	OLIVER BIERHOFF

Team hinter dem Team

Präsident	GERHARD MAYER-VORFELDER
Geschäftsführender Präsident	DR. THEO ZWANZIGER
Generalsekretär	HORST R. SCHMIDT
Liga-Präsident	WERNER HACKMANN
DFB Büroleitung	GEORG BEHLAU
Assistenz	ANNE SCHMIDT
Attaché	FLAVIO BATTISTI
Pressechefs	HARALD STENGER
	ULI VOGT
Medienzentrum	NIELS BARNHOFER
	THOMAS DOHREN
	EVELYN HEIN
	SASCHA LEICHNER
Medienassistenz	MICHAEL BRAUSE
	MICHAEL HERZ
Marketing	DORIS FITSCHEN
Dolmetscher	THOMAS SCHNELKER
Scouts	URS SIEGENTHALER
	CHRISTOFER CLEMENS
Psychologe	DR. HANS-DIETER HERMANN
Fitnesstrainer	MARC VERSTEGEN
	OLIVER SCHMIDTLEIN
	SHAD FORSYTHE
	CRAIG FRIEDMAN

Physiotherapeuten	KLAUS EDER
	CHRISTIAN MÜLLER
	WOLFGANG BUNZ
	ADOLF KATZENMEIER
Mannschaftsärzte	DR. HANS-WILHELM MÜLLER-WOHLFAHRT
	DR. TIM MEYER
	DR. JOSEF SCHMITT
Busfahrer	WOLFGANG HOCHFELLNER
Koch	SAVERIO PUGLIESE
Zeugwart	THOMAS MAI
Sicherheitschef	GERHARD HANTSCHKE
Sicherheit	BJÖRN BORGMANN
	JOSÉ MENESES
Adidas	MANFRED DREXLER
Reisen	WOLFGANG WIRTHMANN
	THORSTEN MAIBERGER
Assistenz Oliver Bierhoff	HEIKE DAHL

Deutschland – Luxemburg 7:0 (3:0)

27.05.2006, 17:00 Uhr
Freiburg

Aufstellung:

Deutschland
Lehmann (46. Kahn)
Friedrich, Huth (46. Mertesacker), Metzelder, Jansen (46. Hitzlsperger)
Schneider, Frings (46. Kehl), Borowski, Schweinsteiger
Klose (63. Asamoah), Podolski (71. Neuville)

Luxemburg
Oberweis
Reiter (26. Schnell), Heinz (71. Federspiel), Hoffmann, Mutsch
Charles Leweck (74. Kitenge), Peters, Strasser, Remy
Alphonse Leweck (55. de Sousa Moreira), Huss (26. Joachim)

Statistik:

Zuschauer	23.000 (ausverkauft)
Tore	1:0 Klose (5.)
	2:0 Frings (19., Elfmeter)
	3:0 Podolski (36.)
	4:0 Klose (59.)
	5:0 Podolski (65., Elfmeter)
	6:0 Neuville (90.)
	7:0 Neuville (90.)
Schiedsrichter	Rene Rogalla (Schweiz)
Gelbe Karten	Remy, Hoffmann, Oberweis
Rote Karten	-
Gelb-Rot	-

Deutschland – Japan 2:2 (0:0)

30.05.2006, 20:30 Uhr

Leverkusen

Aufstellung:

Deutschland

Lehmann

Schneider, Mertesacker, Metzelder (55. Nowotny), Jansen

Ballack, Frings, Borowski (63. Odonkor), Schweinsteiger

Klose, Podolski (70. Neuville)

Japan

Kawaguchi

Tsuboi, Miyamoto, Nakazawa

Kaji (39. Komano), Fukunishi, Hidetoshi Nakata, Santos

Nakamura

Yanagisawa (80. Tamada), Takahara (78. Oguro)

Statistik:

Zuschauer	22.500 (ausverkauft)
Tore	0:1 Takahara (57.)
	0:2 Takahara (65.)
	1:2 Klose (75.)
	2:2 Schweinsteiger (80.)
Schiedsrichter	Kyros Vassaras (Griechenland)
Gelbe Karten	Borowski, Ballack, Odonkor, Schweinsteiger
	Yanagisawa
Rote Karten	-
Gelb-Rot	-

Deutschland – Kolumbien 3:0 (2:0)

02.06.2006, 19:00 Uhr
Mönchengladbach

Aufstellung:

Deutschland

Lehmann
Friedrich, Metzelder, Mertesacker, Lahm (86. Hitzlsperger)
Schneider (62. Borowski), Frings (70. Kehl), Ballack, Schweinsteiger
(73. Jansen)
Klose (61. Neuville), Podolski (70. Asamoah)

Kolumbien

Cordoba
Pachon, Orozco, Perea, Arizala
Vargas (76. Valencia), Viafara (53. Castrillon), Patino (62. Murillo),
Soto (77. Guarin)
Tressor Moreno (46. Rodallega), Jose Moreno

Statistik:

Zuschauer	45.000 (ausverkauft)
Tore	1:0 Ballack (20.)
	2:0 Schweinsteiger (37.)
	3:0 Borowski (69.)
Schiedsrichter	Terje Hauge (Norwegen)
Gelbe Karten	Vargas, Viafara, Pachon
Rote Karten	-
Gelb-Rot	-

Deutschland – Costa Rica 4:2 (2:1)

09.06.2006, 18:00 Uhr
München

Aufstellung:

Deutschland

Lehmann
Friedrich, Mertesacker, Metzelder, Lahm
Schneider (90. Odonkor), Frings, Borowski (72. Kehl), Schweinsteiger
Klose (79. Neuville), Podolski

Costa Rica

Porras
Umana, Sequeira, Marin
Martinez (67. Drummond), Solis (78. Bolanos), Fonseca, Gonzalez
Centeno, Gomez (90. Azofeifa)
Wanchope

Statistik:

Zuschauer	64.950 (ausverkauft)
Tore	1:0 Lahm (6.)
	1:1 Wanchope (12.)
	2:1 Klose (17.)
	3:1 Klose (61.)
	3:2 Wanchope (73.)
	4:2 Frings (87.)
Schiedsrichter	Horacio Elizondo (Argentinien)
Gelbe Karten	Fonseca
Rote Karten	-
Gelb-Rot	-

Deutschland – Polen 1:0 (0:0)

14.06.2006, 21:00 Uhr
Dortmund

Aufstellung:

Deutschland
Lehmann
Friedrich (63. Odonkor), Mertesacker, Metzelder, Lahm
Schneider, Frings, Ballack, Schweinsteiger (77. Borowski)
Klose, Podolski (71. Neuville)

Polen
Boruc
Bak, Baszczynski, Bosacki, Zewlakow (83. Dudka)
Radomski, Sobolewski
Jelen (90. Brozek), Zurawski, Krzynowek (77. Lewandowski)
Smolarek

Statistik:

Zuschauer	65.000 (ausverkauft)
Tore	1:0 Neuville (90.)
Schiedsrichter	Luis Medina Cantalejo (Spanien)
Gelbe Karten	Ballack, Odonkor, Metzelder Krzynowek, Boruc
Rote Karten	-
Gelb-Rot	Sobolewski (75., wiederholtes Foulspiel)

Deutschland – Ecuador 3:0 (2:0)

20.06.2006, 16:00 Uhr
Berlin

Aufstellung:

Deutschland

Lehmann
Friedrich, Mertesacker, Huth, Lahm
Schneider (73. Asamoah), Frings (66. Borowski), Ballack, Schweinsteiger
Klose (66. Neuville), Podolski

Ecuador

Mora
de la Cruz, Guagua, Espinoza, Ambrossi
Valencia (63. Lara), Mendez, Edwin Tenorio, Ayovi (68. Urrutia)
Borja (46. Benitez), Kaviedes

Statistik:

Zuschauer	72.000 (ausverkauft)
Tore	0:1 Klose (4.) 0:2 Klose (44.) 0:3 Podolski (57.)
Schiedsrichter	Walentin Iwanow (Russland)
Gelbe Karten	Valencia Borowski
Rote Karten	-
Gelb-Rot	-

Deutschland – Schweden 2:0 (2:0)

24.06.2006, 17:00 Uhr
München

Aufstellung:

Deutschland
Lehmann
Friedrich, Mertesacker, Metzelder, Lahm
Schneider, Frings (85. Kehl), Ballack, Schweinsteiger (72. Borowski)
Klose, Podolski (74. Neuville)

Schweden
Isaksson
Edman, Lucic, Mellberg, Alexandersson
Jonson (52. Wilhelmsson), Källström (39. Hansson), Linderoth, Ljungberg
Ibrahimovic (72. Allbäck), Larsson

Statistik:

Zuschauer	66.000 (ausverkauft)
Tore	1:0 Podolski (4.) 2:0 Podolski (12.)
Schiedsrichter	Carlos Simon (Brasilien)
Gelbe Karten	Frings Jonson, Allbäck
Rote Karten	-
Gelb-Rot	Lucic (35., wiederholtes Foulspiel)

Besondere Vorkommnisse:
Larsson schießt Foulelfmeter über das Tor (53.)

Deutschland - Argentinien 5:3 (0:0, 1:1, 1:1) n.E.

30.06.2006, 17:00 Uhr

Berlin

Aufstellung:

Deutschland

Lehmann
Friedrich, Mertesacker, Metzelder, Lahm
Schneider (62. Odonkor), Frings, Ballack, Schweinsteiger (74. Borowski)
Klose (86. Neuville), Podolski

Argentinien

Abbondanzieri (71. Franco)
Coloccini, Ayala, Heinze, Sorin
Gonzalez, Mascherano, Maxi Rodriguez
Riquelme (72. Cambiasso)
Tevez, Crespo (79. Cruz)

Statistik:

Zuschauer	72.000 (ausverkauft)
Tore	0:1 Ayala (49.)
	1:1 Klose (80.)
Schiedsrichter	Lubos Michel (Slowakei)
Gelbe Karten	Podolski, Odonkor, Friedrich
	Sorin (2), Mascherano, Maxi Rodriguez, Cruz
Rote Karten	-
Gelb-Rot	-

Besondere Vorkommnisse:

Elfmeterschießen:
1:0 Neuville, 1:1 Cruz, 2:1 Ballack, Lehmann hält gegen Ayala, 3:1 Podolski,
3:2 Maxi Rodriguez, 4:2 Borowski, Lehmann hält gegen Cambiasso
Rote Karte für Cufre (Ersatzspieler Argentinien/120., unsportliches Verhalten)
Nachträgliche Sperre für Frings für das Halbfinale (unsportliches Verhalten)

Deutschland – Italien 0:2 (0:0, 0:0) n.V.

04.07.2006, 21:00 Uhr
Dortmund

Aufstellung:

Deutschland
Lehmann
Friedrich, Mertesacker, Metzelder, Lahm
Schneider (83. Odonkor), Kehl, Ballack, Borowski (73. Schweinsteiger)
Klose (111. Neuville), Podolski

Italien
Buffon
Zambrotta, Materazzi, Cannavaro, Grosso
Perrotta (104. Del Piero), Pirlo, Gattuso, Camoranesi (91. Iaquinta)
Totti
Toni (74. Gilardino)

Statistik:

Zuschauer	65.000 (ausverkauft)
Tore	0:1 Grosso (119.) 0:2 Del Piero (120.)
Schiedsrichter	Benito Archundia (Mexiko)
Gelbe Karten	Borowski, Metzelder Camoranesi
Rote Karten	-
Gelb-Rot	-

Deutschland – Portugal 3:1 (0:0)

08.07.2006, 21:00 Uhr
Stuttgart

Aufstellung:

Deutschland
Kahn
Lahm, Nowotny, Metzelder, Jansen
Schneider, Kehl, Frings, Schweinsteiger (79. Hitzlsperger)
Klose (65. Neuville), Podolski (71. Hanke)

Portugal
Ricardo
Paulo Ferreira, Meira, Ricardo Costa, Nuno Valente (69. Nuno Gomes)
Costinha (46. Petit), Maniche
Deco
Simao, Pauleta (77. Figo), Cristiano Ronaldo

Statistik:

Zuschauer	52.000 (ausverkauft)
Tore	1:0 Schweinsteiger (56.) 2:0 Petit (61., Eigentor) 3:0 Schweinsteiger (78.) 3:1 Nuno Gomes (88.)
Schiedsrichter	Toru Kamikawa (Japan)
Gelbe Karten	Frings, Schweinsteiger Ricardo Costa, Costinha, Paulo Ferreira
Rote Karten	-
Gelb-Rot	-

1000 Dank an das Team
und an das Team hinter dem Team.

Christof Siemes
Das Wunder von Bern

Nach einem Drehbuch von
Sönke Wortmann und Rochus Hahn
KiWi 800
Originalausgabe

Unvergessen ist die Fußballmannschaft um Trainer Sepp
Herberger. Legendär sind Spieler wie Fritz Walter oder
Helmut Rahn. Längst ist der Gewinn der WM 1954 ein
deutscher Mythos. »Das Wunder von Bern« erzählt von
diesem einzigartigen Sportereignis, von dem Anbruch
einer neuen Zeit und über das Ruhrgebiet, wo das Herz
des deutschen Fußballs schlägt. Denn auch der elfjährige
Matthias aus Essen, der in Helmut Rahn seinen
Ersatzvater und sein Idol gefunden hat, fiebert mit seiner
Mannschaft. Doch als sein Vater nach zwölf Jahren aus
der Kriegsgefangenschaft zurückkehrt, scheint nichts
wie zuvor ...

Paperbacks bei Kiepenheuer & Witsch www.kiwi-verlag.de

Christoph Biermann
Wenn du am Spieltag beerdigt wirst, kann ich leider nicht kommen

Die Welt der Fußballfans
KiWi 383
Originalausgabe

Christoph Biermann, selbst bekennender Fan eines Bundesligavereins, ist der geheimnisvollen Faszination nachgegangen, die der Fußball für ihn selbst und den harten Kern der Fußballfans besitzt.

»Was Sie schon immer über Fußballfans wissen wollten und nie zu fragen wagten.« *Kölner Stadt-Anzeiger*

»Das Buch ist klasse – witzig und seelenvoll.«
Süddeutsche Zeitung

»Ein Buch, das mit Leidenschaft geschrieben ist und von ihr handelt.« *Stadtrevue Köln*

»Klug und ballaballa.« *taz*

»Die endgültige Argumentationsgrundlage für den Fußball – klug und sachkundig.« *Allegra*

Paperbacks bei Kiepenheuer & Witsch www.kiwi-verlag.de

Christoph Biermann
Fast alles über Fußball

KiWi 910
Originalausgabe

Der Däne sagt Fodbold, der Japaner Soccer, auf Gälisch
heißt es Ball-Coise. »Fußball ist Fußball« sagt Trainerlegen-
de Vujadin Boskov. Fußball bedeutet viel und vieles. Dieses
Buch ist voller Fußballwissen, das unnütz erscheinen mag,
aber dessen Schönheit man sich kaum entziehen kann. Hier
gibt es WM-Bälle und längste Siegesserien, Entführungen
und Nachbarschaftsduelle, Tiere in Wappen und die schöns-
ten Rückennummern. Kantersiege, Hattricks, Nationalspieler aus Gelsenkirchen und ausgefallene Vereinsfarben, man
kann das alles sehr weit treiben, dieses Buch treibt es zu
… fast alles über Fußball.

»Erst verschlungen, dann auswendig gelernt und schließlich
bei meinen Jungs mit unfassbarem Fußballwissen ge-
glänzt.« *Manuel Andrack*

»Lesestoff für Momente, in denen der Ball ruht.« *Die ZEIT*

Paperbacks bei Kiepenheuer & Witsch  www.kiwi-verlag.de

Christoph Biermann / Ulrich Fuchs
Der Ball ist rund, damit das Spiel die Richtung ändern kann

Wie moderner Fußball funktioniert
KiWi 702
Überarbeitete und erweiterte Neuausgabe mit
einem Vorwort von Ottmar Hitzfeld

»Wer so tiefgründig und kenntnisreich über Fußball schreibt, muss das Spiel wirklich lieben.« *Hans Meyer*

»Dieses Buch beschreibt auf eindrucksvolle Weise, wie der Fußball sich zu einem aggressiven, spannenden Kleinfeldspiel entwickelt hat, dessen Felder sich ständig auf einem großen Fußballplatz verschieben – wenn das Spiel die Richtung ändert.« *Ralf Rangnick*

»Um Entwicklungen und Veränderungen im modernen Fußball zu verstehen, ist dieses Buch ein Muss.«
Christoph Daum

»Im Fußball von heute geht es nicht nur um Systeme, sondern um viel mehr. Warum das so ist, und wie es so kam, erzählt dieses Buch.« *Huub Stevens*

»Man muss ein Spiel nicht lesen können, um Spaß am Fußball zu haben. Die Autoren zeigen, wie beides zusammen geht.« *Volker Finke*

Paperbacks bei Kiepenheuer & Witsch   www.kiwi-verlag.de

Birgit Schönau
Calcio

Die Italiener und ihr Fußball
KiWi 911
Originalausgabe

Kaum ein Land auf der Welt liebt den Fußball wie Italien. Neben legendären Clubs und Spielern wird dieses grandiose Spektakel aber auch von einer bizarren Verschränkung von Fußball und Politik geprägt.
Birgit Schönau berichtet seit Jahren aus Italien und gilt als exzellente Kennerin des Landes und des italienischen Fußballs. In diesem Buch schreibt sie über die großen Klubs, legendäre Spieler wie Meazza oder Rivera, Baggio oder Maldini und über einen Fußball zwischen grandiosen Triumphen und tragischem Scheitern. Eine Liebeserklärung an eine große Fußballnation.

Der Titel erscheint in der Reihe »Ball und Welt« (Hg. Christoph Biermann).

Paperbacks bei Kiepenheuer & Witsch  www.kiwi-verlag.de

Raphael Honigstein
Harder, better, faster, stronger

Die geheime Geschichte des englischen Fußballs
KiWi 927
Originalausgabe

Eine knappe Milliarde Menschen weltweit berauscht sich
Woche für Woche an den Bildern aus Old Trafford und
Highbury. Die globale Strahlkraft der englischen Premier
League stellt alle anderen Fußball-Ligen in den Schatten.
Italiener und Spanier behaupten, dass ihr Fußball besser sei;
in Deutschland mag man die Bundesliga für die stärkste
auf dem Globus halten und immer neue Zuschauerrekorde
bejubeln.
Aber die Welt liebt vor allem die unvergleichliche Härte, das
irrwitzige Tempo des englischen Fußballs und Leidenschaft
in den Stadien.

Der Titel erscheint in der Reihe »Ball und Welt« (Hg. Christoph
Biermann).

Paperbacks bei Kiepenheuer & Witsch www.kiwi-verlag.de

Javier Cáceres
Fútbol

Spaniens Leidenschaft
KiWi 921
Originalausgabe

Es hat fast fünf Jahrhunderte gedauert, bis Spanien wieder zu einem weltumspannenden Imperium aufgestiegen ist – im Fußball. Weltmeister ist Spanien bislang nicht geworden, doch Real Madrid und der FC Barcelona sind globale Größen und haben den Bekanntheitsgrad von Coca-Cola. Kaum ein Weltstar hat sich ihrer Anziehungskraft entziehen können, ob Di Stéfano oder Puskas, Cruyff, Maradona oder Schuster, Zidane und Beckham, Ronaldo und Ronaldinho.

»Detailliert und faktenreich wirft Cáceres seinen kritischen Blick auf die Irrungen und Wirrungen einer großen Fußballnation.« *Handelsblatt*

Der Titel erscheint in der Reihe »Ball und Welt« (Hg. Christoph Biermann).

Paperbacks bei Kiepenheuer & Witsch  www.kiwi-verlag.de

Ronald Reng
Der Traumhüter

Die unglaubliche Geschichte eines Torwarts
KiWi 685
Originalausgabe

Lars Leese hat das erlebt, wovon zehntausende Freizeitfußballer auf deutschen Aschenplätzen heimlich träumen: Plötzlich kommt einer und macht dich zum Profi. Mit 22 spielte er für die Sportfreunde Neitersen in der Kreisliga Westerwald. Mit 28 sicherte Leese mit seinen Paraden dem englischen Erstligisten Barnsley einen 1:0-Sieg über den sechsmaligen Europacupsieger FC Liverpool. Und mit 32 ist er wieder da, wo er herkam – in der Anonymität.
Eine der kuriosesten Sportlerkarrieren der Gegenwart erzählt vom Sportjournalisten Ronald Reng, der Leese aber immer wieder selbst berichten lässt. Ein ungemein witziges, anekdotenreiches Buch, das in seinem Mix aus Fußballstory und ganz persönlicher Lebensgeschichte selbst sportuninteressierten Lesern die Faszination des Fußballs nahe bringt.

»›Der Traumhüter‹, daran besteht kein Zweifel, spielt in derselben Liga wie ›Fever Pitch‹ von Nick Hornby.«
Welt am Sonntag

Paperbacks bei Kiepenheuer & Witsch www.kiwi-verlag.de

Nick Hornby
Fever Pitch

Ballfieber – Die Geschichte eines Fans
Deutsch von Marcus Geiss und Henning Stegelmann
KiWi 409

Die verrückte Geschichte einer lebenslangen Liebe. Ein
Fußballfan und sein Verein. Der Fan heißt Nick Hornby,
sein Verein Arsenal London. Mit wunderbarer Leichtigkeit
und sprühendem Witz schildert Hornby die Spiele und
sein Leben: In zahlreichen mal amüsanten, mal nach-
denklichen Anekdoten erzählt er von der Scheidung der
Eltern, dem Alltag in der Vorstadt, dem lustlos absolvierten Studium in Cambridge und den ersten Freundinnen.

»Das beste Fußballbuch, das jemals geschrieben wurde,
und das ist noch maßlos untertrieben.« *taz*

»Selbst Fußballhasser werden entzückt sein.« *Elle*

»Hornby hat zwei Begabungen: Er ist ein gnadenloser,
lebenskluger Beobachter und ein charmanter Plauderer
zugleich.« *Vogue*

Paperbacks bei Kiepenheuer & Witsch www.kiwi-verlag.de

Klaus Theweleit
Tor zur Welt

Fußball als Realitätsmodell
KiWi 830
Originalausgabe

Seine Traumtore schießt Klaus Theweleit im Deutschland des Wirtschaftswunders. Das Flüchtlingskind kickt mit der Schweinsblase, lauscht den Oberliga-Ergebnissen aus dem Radio und würfelt den Deutschen Meister aus. Fußball eröffnet ihm ein Tor zur Welt. Bis heute.
Nie zuvor ist das Spiel so gelesen und über Fußball auf diese Weise geschrieben worden. Theweleit erzählt von seinem denkenden Fußballknie, analysiert die Digitalisierung des Spiels, erklärt auf verblüffende Weise die Wechselwirkungen von Fußball, Politik und Medien. Und wir erfahren, warum die deutsche Nationalmannschaft das WM-Finale gegen Brasilien wirklich verlor.

»Es gibt viele Fußballbücher – das ist ein ganz besonderes! Theweleits Analysen können auch Nichtfußballern großen intellektuellen Spaß bereiten.«
Denis Scheck, ›Druckfrisch‹, ARD

Paperbacks bei Kiepenheuer & Witsch www.kiwi-verlag.de